2007-2008
最新全彩版

《北京逛街地图》编辑部 编著

WALKING
北京逛街地图
IN BEIJING

简单明了实用指南 北京逛街完全攻略

最经典的 **25** 条逛街路线 **169** 个不得不去的地方

● 逛著名商业街 ● 逛皇城 ● 逛古迹 ● 逛胡同 ● 逛名人故居
● 逛美食街 ● 逛休闲之地 ● 逛时尚地带 ● 逛淘宝之所

广西师范大学出版社
·桂林·

::To 逛街族

许多时候确实是为了买东西
但更多时候我们把它当作消遣的一种方式
它依据我们的喜好，还有我们的心情
也许晴天不一定合适，也许雨天适合
也许在慵懒的周末
也许就在某个冲动的午后
时间，地点，人物……
都不一定那么确定
但无可否认的是，"逛街"深入我们的生活
深入我们的内心
我们承认，它是我们的一个部分

可以把它当作你偶尔的"休闲"
四处溜达，乱瞅乱逛
一路寻找触动你某根神经的创意或者细节
看看路边小摊
转转古玩市场
翻翻泛黄的旧书
或是走到老城厢，或是停步于石库门洞下
也可以淘淘细细碎碎的潮流小店
看哪个店哪个物件顺眼
挑哪个犒劳游走在这个都市的自己

困了，累了
踅进某个吃店，做一个十足的"吃货"
或者装点深沉，靠在某个咖啡馆的窗边
看过往的红男绿女，抑或趁着夜色
扎入熟悉的不熟悉的酒吧
享受醉意朦胧，抑或买一把爆米花
躲进某个剧院看电影
男生沉醉某个宏大场面，女生则让泪水把妆弄花

当然，有时候严肃起来
我们把逛街当作一种"哲学"
也当作生命的一种"游走"——
走近某个地方的繁华与沧桑
走近它的生命脉络，看我们自己的前世今生
从粉墨登场的时尚街边，到历史弥漫的小巷里弄
从众所周知的经典地标，到鲜为人知的隐秘之所
从淳淳的文化到浓浓的生活
再从浓浓的生活到淳淳的文化
就这样"游走"，走近某个地方
走近它的过往、现在和将来……

有时我们希望重走"城市逛街族"的"经典足迹"
那多少代表了"走"必有收获
但更多时候我们希望自己成为"前辈"
探索那新的奇的怪的刺激的所在
有时候我们只是希望，那么些个地方
一个一个码在自己的思绪里
情绪来了，随意组合自己每一次"逛街之旅"

想要一本书完成一个城市的逛街是艰难的
由此，我们得感谢本书众多的作者
他们为我们奉献了如此多的美妙所在
并直接或隐秘地告诉了"逛街"的诸多秘密
不管如何，好也好，坏也好
和文字和图片一起
希望你的"城市游走"异彩纷呈

考拉文化
2007 年春

追时尚
Fashion

血拼"淘宝"
Shopping

北京逛街地图

Walking In Beijing   with your eyes   with your heart with your mind...

北京逛街 **TOP**

22

A 一日逛街首选

1 上午逛街首选

王府井（详见 P050）

推荐理由：

逛北京的必去之地，上午人不多，不很拥挤。

王府井大街店铺林立，以新东安市场、百货大楼和东方新天地为代表的众多商家迎接着海内外的游客。许多著名的百年中华老字号也在这里设有店面，如亨得利钟表行、同陞和鞋帽店、盛锡福帽店、东来顺、全聚德、东兴楼饭庄等，这些历史悠久的商号，汇聚着丰富多彩的中华传统文化，记录着京城历史的沧桑巨变。

这里深深吸引人们的，不只是那些时髦的服装、琳琅满目的商品，更重要的还有这里的文化气息。说王府井是一条充满文化的步行街，一点也不为过。这里有许多栩栩如生的人物雕塑，有优美的古典教堂，还有说不完的历史传说和典故。走在这条大街上，你看到了最现代、最前沿的北京，同时也感受着这座古都最深沉的历史。

2 午后逛街首选

东交民巷（详见 P072）

推荐理由：

洋房林立，在午后的树荫下，尤其静美。

东交民巷曾经是著名的使馆区，位于天安门广场毛主席纪念堂东侧，是一条东西方向的大街。

东交民巷的街道，是北京唯一一处洋房林立的特色街巷。两边西洋建筑风格各异、错落有致，现有著名的六国饭店旧址、法国使馆旧址、法国邮政局旧址、东方汇理银行旧址、花旗银行旧址、圣米厄尔教堂等。这些历经一个世纪的西洋建筑，集中了近代西洋建筑的精华，游走其间，颇有感触。

3 黄昏逛街首选

后海北沿（详见 P145）

推荐理由：

这里的树很美，尤其是在黄昏的时候，映着晚霞，树与周围的老四合院融成了一幅素美的风情画。

后海北沿在银锭桥之西的什刹海后海北岸，依湖而成，岸边的人家也是凭湖而居，这里的四合院都很规整，大多不是那气派的高屋阔院，但也饱含了韵味。从北沿西行，有醇亲王府、宋庆龄故居、田间故居等文化古迹。

4 夜晚逛街首选

新街口（详见 P174 ）

推荐理由：

这是北京重要的平民商街，但只有夜晚，这里显得最为活跃。

新街口特有的朝气和多元性注定会吸引所有追求新潮的人来此淘宝，几十种经营项目，几百家特色小店，沿着新街口大街向南、向北遍布开去。这里不如王府井那样的华丽，也没有西单那样的嘈杂，如今爱逛街的人们早已厌倦了人车接踵、霓虹闪烁和满眼的海报标语，而新街口却在毫无装饰的朴实外表下包裹着时尚与个性，到处充斥着别样的风格与内涵。

B 特色逛街首选

1 年度逛街首选

什刹海（详见P142）

推荐理由：

什刹海是北京唯一一处传统与时尚的汇聚的地区。这里，环境优美，是北京城的乐土。

什刹海由前海、后海、西海组成，一水相连，波光碧影，古味悠扬。由于位于中南海及北海之北，所以又被称为"后三海"，其中，西海也被叫作积水潭。

什刹海是北京唯一一处集自然风光、人文历史、市井文化、传统民俗于一身的旅游胜地，也是古都北京一处没有围墙的公园。

自古以来，什刹海就广聚名流雅士，将湖光山色的美和浓厚的历史传说结合在一起，演绎出了一首动人的抒情哲理诗。

2 购物逛街首选

西单（详见P180）

推荐理由：

西单是实实在在的购物场所，店家很多，规模也很大。

西单商业街与王府井并称北京最著名的传统商业区。这里有新建的文化广场，有著名的西单商场和中友百货、君太百货。

对热爱西单的人们来说，来到西单，就意味着一种活力四射的生活方式。最先锋的时尚潮流在这里澎湃，各式各样的打折活动也在这里竞相上演。年轻人在这里创造出新的时尚和潮流，被引领起来的时尚又创造出城市崭新的面孔。

在西单，每个路人都似乎因购物而充实满足。在西单，购物已经变成一种狂欢，每到一处，你都会有新的惊喜，熙熙攘攘的人潮会引领你走进一个个各具特色的购物天堂。

3 文化逛街首选

琉璃厂（详见P190）

（详见P190）

推荐理由：

琉璃厂是北京传统文化的中心之地。

琉璃厂在和平门外，西至宣武区的南、北柳巷，东至宣武区的延寿寺街，全长约800米。清代开始，琉璃厂逐渐发展成为京城最大的书市，与文化相关的笔墨纸砚，古玩书画等也随之发展起来。

琉璃厂有许多著名老店，如荣宝斋、古艺斋、萃文阁、一得阁、李福寿笔庄，还有中国最大的古旧书店中国书店，其中以荣宝斋最为著名。

琉璃厂至今仍然是古朴的，不光是那些明清时代的老房子，更多的还是里面充满了京城气息的生活场景。

4 怀旧逛街首选

国子监街（详见P114）

（详见P114）

推荐理由：

古学府的静与民居的旧融在一起，是怀旧的好地方。

从安定门往南不远，有一条很古老的国子监街，4座完整的过街牌楼，金碧辉煌，至今还耸立在这条不算太宽的街上。国子监在街道的中部，它相当于今天的大学，紧邻着孔庙，是元、明、清三代的国家最高学府。

B 特色逛街首选

5 美食逛街首选

篮街(详见P136)

推荐理由:

这里是北京美食街中的No.1,汇聚八方菜肴,是美食家不得不去的地方。

篮街,是北京老百姓对东城区东直门内餐饮一条街的称呼。

一连串的餐馆饭庄,囊括了川、鲁、粤、湘的火锅、烧烤等各种风味品种,更使得"鬼街"特点突出,个性鲜明,因而成了喜欢美食的人常去的地方。

6 浪漫逛街首选

烟袋斜街(详见P151)

推荐理由:

位于地安门外大街与什刹海银锭桥之间,酒吧林立,小店众多,很富浪漫情调。

烟袋斜街东起地安门外大街,西至小石碑胡同,胡同呈斜形走向。

烟袋斜街集聚了很多家小店,平日里熙熙攘攘,与一路之隔的什刹海有着明显的区别。商业是这里最为明显的表征,透过充满着商业气息的小街,就能看到更加商业的地安门外大街。

7 艺术逛街首选

798 工厂 (详见 P132)

推荐理由：
　798 是北京前卫先锋艺术的聚集地，很具知名度。

　位于北京东郊大山子的798工厂，又名国营北京第三无线电器材厂，原是新中国成立初期由前苏联援建、原民主德国工程师设计建造的现代工业基地，如今却成为了众多艺术家聚集的一块"新艺术空间"。

　如今，798工厂方圆1平方公里约有100多家文化机构，包括出版、建筑设计、服装设计、室内家居设计、音乐演出、影视播放、艺术家工作室等。除了画廊，还有酒吧、餐馆、服装店、书店、瑜珈中心……应有尽有。

8 时尚逛街首选

燕莎商圈 (详见 P130)

推荐理由：
　这里是时尚白领的逛街天堂。

　燕莎商圈的高档化并没有使她在人们的生活中高不可攀。这里的文化、品位，以及所倡导的生活方式，无不在表达一种国际化的观念和生活态度，而这些与北京人的生活也产生了历久不衰的震撼与共鸣。在北京人眼里，燕莎这个区域避开了城市中心的喧闹，却有着城市中心才有的便利，来这里逛街，既是一种难得的时尚体验，又是一种沁透着都市新文化的独特享受。

C 经典地标首选

1 剧院首选

人民艺术剧院(详见P064)

推荐理由：

北京剧院中的"老大"，尤以传统和先锋话剧知名。

人民艺术剧院成立于1952年，是中国最著名的专业话剧院。多年以来，"人艺"一直以丰富多彩的演出剧目，严谨精湛的舞台艺术和情醇意浓的演出风格，吸引着海内外众多的观众。

对于北京人来说，看"人艺"话剧是文化生活中的重要部分，许多年轻人把"去人艺，看话剧"作为生活中的时尚亮点；就连国内外的游客来到北京，除了游览北京的古都风貌，欣赏国粹京剧，同时也不忘来看一场人艺的话剧。

2 书店首选

三联书店(详见P066)

推荐理由：

安静的环境，与众不同的人文品位，使其在北京书店中独树一帜。

在北京美术馆东街22号，坐落着一家充满人文情趣与时代艺术感的书店——三联韬奋图书中心。

三联韬奋图书中心的三四层就是三联书店出版社，而一二层则开辟为一处文化氛围浓厚的书店。在书店一楼的大厅里，我们可以很轻易地看到近期畅销书籍，与其他图书中心不同，在这里，人文图书是最受读者青睐的图书类型。在书店一角，还公布着本周书籍的排行榜，随意翻看几本，便可领略这里与众不同的品位。二楼是艺术图书的世界。各种艺术类书籍从简装的到精装的，从西洋油画到中国国画，应有尽有。这里还经常举办小型的文化讲座或是艺术展览，虽说规模不大，却使书店的意义得到了扩展。

3 大餐首选

全聚德(详见P207)

(详见P207)

(详见P176)

推荐理由:
北京的老饭庄很多,但最知名的肯定还属全聚德.

全聚德是京城老字号中首屈一指的大品牌。全聚德一直以独特的"挂炉烤鸭"工艺著称于世,这里的烤鸭用果木烤制,烤制时炉门不关,烤好以后的鸭身呈红褐色,外酥里嫩,鲜香可口。鸭子出炉后,厨师会用娴熟的技巧快速片完整只烤鸭,然后就可以上桌了。拿一块店里特制的荷叶饼,夹两片烤鸭肉,蘸点酱,加点葱丝,卷起来入口,不油不腻,香脆可口。

4 小吃首选

庆丰包子铺(详见P176)

推荐理由:
北京风味的包子,味道非常地道。

天津有"狗不理",北京有"庆丰"。要在北京吃包子,"庆丰"算得上是首选。

庆丰包子铺始建于1948年,开始仅是一家普通的小饭馆,因包子口味地道,自1956年起专营包子,并正式打出"庆丰包子铺"的招牌。这里的包子个大馅多,做工细致、味道鲜美。

庆丰的三鲜包子特别受欢迎,点上一盘包子,再来盘海带丝,喝上一碗粥,很简单也很惬意。

C 经典地标首选

5 胡同首选

帽儿胡同(详见P110)

(详见P110)

推荐理由：

这里是集故居、私家花园和纯粹北京市井环境为一体的胡同。

帽儿胡同东起南锣鼓巷，西至地安门外大街。明朝时候，称为梓潼庙文昌宫，清称为帽儿胡同。文昌宫是供奉文昌帝的地方，文昌帝即文曲星，是神话传说中掌管文运的神仙。现在，文昌宫的基址之上是帽儿胡同小学。

帽儿胡同的9号和11号是可园，是京城最富代表性的私家园林之一。35号和37号是末代皇后婉容故居。

6 故居首选

老舍故居(详见P062)

推荐理由：

老舍是北京土生土长的作家，老舍故居同样有着浓浓的北京风味儿。

老舍故居在闹中取静的丰富胡同19号。丰富胡同的院子是老舍在1949年由美国归来后居住的地方，老舍的夫人在院内种了两棵柿子树，每当深秋来临，红柿高挂，所以这个小院子也被称为"丹柿小院"。

7 访古首选

故宫紫禁城(详见P028)

推荐理由:

故宫是在北京访古迹必去的地方。

紫禁城是明、清两代的皇宫,始建于明朝永乐年间,为我国现存最大最完整的古建筑。

紫禁城有各类殿宇9999间。周围宫墙长约三公里,四面矗立着风格绚丽的角楼,墙外有宽52米的护城河环绕,形成一个气势恢宏而又戒备森严的城池。

8 寺庙首选

白塔寺(详见P164)

推荐理由:

幽静的环境和历史的厚重是白塔寺的特色所在。

白塔寺原称妙应寺,因寺中一座佛塔塔身通体皆白,故俗称为"白塔寺"。

妙应寺白塔是中国建筑年代最早、规模最大的一座元代喇嘛塔,也是现存古塔中,年代最早、规模最大的藏式佛塔,是瓶式喇嘛塔造型最杰出者,同时是元大都保留至今的重要标志建筑。

C 经典地标首选

9 淘宝首选

潘家园 (详见P244)

推荐理由：
国内外游客在北京"淘宝"的第一站。

潘家园旧货市场位于北京三环路的东南角，是全国最大的旧货市场。市场内有三千多个摊位，经营各种文物书画、文房四宝、瓷器及木器家具等。

每逢周末，潘家园市场开市，众多国内外游客便纷至沓来。无论是北京的寒冬还是酷暑，潘家园市场的仿古红墙内始终是人头攒动。各种民间奇货、古玩工艺品，还有古籍字画、旧书刊、皮影脸谱、"文革"遗物及不同时代的生活用品里，只要是有心人，总能淘出些难得的宝贝。

10 公园首选

天坛 (详见P040)

推荐理由：
昔日的皇家禁地，今日的市民乐园。

天坛位于北京内城东南。始建于明成祖永乐十八年（1420），原名"天地坛"，是明清两代皇帝祭祀天地之神的地方，明嘉靖九年（1530）在北京北郊另建祭祀地神的地坛，此处就专为祭祀上天和祈求丰收的场所，并改名为"天坛"。

天坛的主体建筑是祈年殿，每年皇帝都在这里举行祭天仪式，祈祷风调雨顺、五谷丰登。祈年殿呈圆形，直径32米，高38米，是三重檐亭式圆殿，宝顶鎏金，碧蓝琉璃瓦盖顶；殿内九龙藻井极其精致，富丽堂皇，光彩夺目。

11 搜衣首选

秀水街 (详见 P126)

推荐理由:
　与"长城"、"烤鸭"齐名的服装市场。

　　秀水街是改革开放后北京诞生的闻名海内外的商品市场之一,主要经营具有旅游文化特色的外贸服装、丝绸制品、旅游纪念品等。2005年,改建一新的"新秀水"大厦正式开业。海内外顾客在这里,不仅能买到中国传统的丝绸制品和精致手工艺品,还能买到各种外国名牌商品。

北京逛街地图

with your eyes　　with your heart　　with your mind

Walking In Beijing

1

Walking In Beijing
北京逛街之访古记
环紫禁城线
026/040

□ 神游皇城

关键地标：紫禁城

Walking In Beijing
北京逛街之访古记
城墙城门线
043/047

□ 寻找北京古城墙

关键地标：前门　东便门　德胜门

5 Walking In Beijing
北京逛街之淘宝地图

淘宝路线
242/257

□京城淘宝攻略

北京逛街之访古记

环紫禁城线　城墙城门线

神游皇城

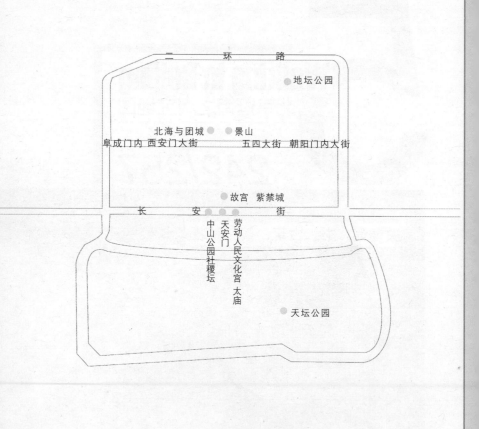

↑ 北

二　　　　环　　　　路

● 地坛公园

北海与团城 ●　● 景山

阜成门内 西安门大街　　　　　五四大街　朝阳门内大街

● 故宫 紫禁城

长　　安　　　　　街

中山公园社稷坛　天安门　劳动人民文化宫　太庙

● 天坛公园

1 环紫禁城线
关键地标：紫禁城

Stop1

故宫City
Forbidden 紫禁城

故宫位于北京市中心，也称"紫禁城"，始建于1406年。这里曾居住过24位皇帝，是明清两代（1368－1911）的皇宫，也是中国现存最大最完整的古建筑群。故宫的整个建筑金碧辉煌，庄严绚丽，被誉为世界五大宫之一（中国北京故宫、法国凡尔赛宫、英国白金汉宫、美国白宫、俄罗斯克里姆林宫），1961年被定为全国第一批重点文物保护单位，1988年被联合国科教文组织列为"世界文化遗产"。

故宫占地72万平方米，屋宇9999间半，建筑面积15.5万平方米，被称为"殿宇之海"，气魄宏伟，极为壮观。为一长方形城池，四角矗立、风格绮丽的角楼，墙外有宽52米的护城河环绕，形成一个森严壁垒的城堡。建筑气势雄伟、豪华壮丽，是中国古代建筑艺术的精华；无论是平面布局，立体效果，还是形式上的富丽堂皇，都堪称无与伦比的杰作。

一条中轴贯通着整个故宫，这条中轴又在北京城的中轴线上。三大殿、后三宫、御花园都位于这条中

推荐等级：
★★★★★

交通便利程度：
★★★★★

乘车路线：
乘1、4、728路公共汽车至天安门下，或乘101、103、846路公共汽车至故宫下，乘地铁1号线天安门东、西站下。

Forbidden City 紫禁城
故宫

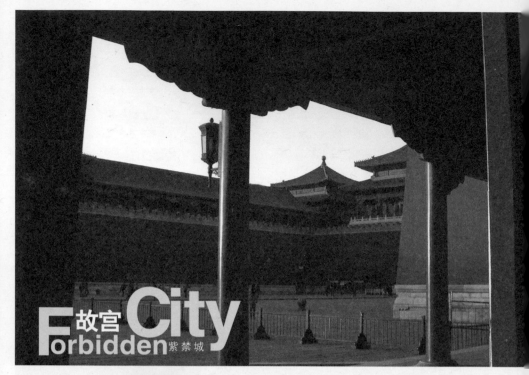

Forbidden City
故宫 紫禁城

轴线上。在中轴宫殿两旁，还对称分布着许多殿宇，也都宏伟华丽。这些宫殿可分为外朝和内廷两大部分。外朝以太和、中和、保和三大殿为中心，文华、武英殿为两翼；其中太和殿(又称金銮殿)，是皇帝举行即位、诞辰节日庆典和出兵征伐等大典的地方，中和殿是皇帝去太和殿举行大典前稍事休息和演习礼仪的地方，保和殿是每年除夕皇帝赐宴外藩王公的场所。内廷以乾清宫、交泰殿、坤宁宫为中心，东西六宫为两翼，布局严谨有序，是皇帝平日办事和他的后妃居住生活的地方。故宫的四个城角都有精巧玲珑的角楼，建造精巧美观。宫城周围环绕着高10米，长3400米的宫墙，墙外有52米宽的护城河。

现在，故宫的一些宫殿中设立了综合性的历史艺术馆、绘画馆、分类的陶瓷馆、青铜器馆、明清工艺美术馆、铭刻馆、玩具馆、文房四宝馆、玩物馆、珍宝馆、钟表馆和清代宫廷典章文物展览等，收藏有大量古代艺术珍品，据统计共达100多万件，占中国文物总数的六分之一，是中国收藏文物最丰富的博物馆，也是世界著名的古代文化艺术博物馆，其中很多文物是绝无仅有的无价国宝。

故宫 City
Forbidden 紫禁城

Tianan men 天安门广场
Stop2

中华人民共和国万岁　世界人民大团结万岁

推荐等级：
★★★★★

交通便利程度：
★★★★★

乘车路线：
乘1、4、728路公共汽车
至天安门东、西站下

Tianan
天安门广场 men

天安门广场位于北京市中心，南北长880米，东西宽500米，面积达44万平方米，可容纳100万人举行盛大集会，是当今世界上最大的城市广场。

天安门广场记载了北京人民不屈不挠的革命精神和大无畏的英雄气概，五四运动、一·二九运动等都在这里为中国现代革命史留下了浓重的色彩。新中国成立后，天安门广场拓宽，并在广场中央修建了人民英雄纪念碑，后又分别在广场的西侧修建了人民大会堂、东侧修建了中国革命博物馆和中国历史博物馆、南侧修建了毛主席纪念堂。

天安门城楼坐落在广场的北端。天安门建于明永乐十五年（1417），原名承天门，是一座黄瓦飞檐、三层的五洞牌坊，后面为笔直的中心御道，穿过端门，直通皇宫正门的午门。御道两侧，按左宗庙、右社稷的传统建制排建。御道两侧增筑红墙，一直延伸到天安门城楼外，与两道千步廊相连，成为一个封闭状态的宫廷广场。

清顺治八年（1651）改建为重檐歇山顶城楼，始称天安门，取"受命于天""安邦治国"之意。城门五阙，重楼九楹，象征皇权的"九五之尊"。在2000余平方米雕刻精美的汉白玉须弥基座上，是高10余米的红白墩台，墩台上是金碧辉煌的天安门城楼。城楼下是碧波粼粼的金水河，河上有5座雕琢精美的汉白玉金水桥。城楼前两对雄健的石狮和挺秀的华表巧妙地相配合，使天安门成为一座完美的建筑艺术杰作。

明清两朝，天安门是新帝登基、皇后册封、招贤纳士而颁诏天下的地方，也是皇帝往太庙祭祖、天坛祭天的必经之路。1911年辛亥革命后，1949年10月1日，毛泽东主席在天安门城楼上宣告中华人民共和国成立，并亲手升起第一面五星红旗。从此天安门城楼成为新中国的象征，它庄严肃穆的形象是我国国徽的重要组成部分。

B eihai 北海与团城
Stop3 And Round Town

推荐等级：
★★★★★

交通便利程度：
★★★★

乘车路线：
乘101、103、846路公共
汽车至北海站下

北海位于北京故宫西北部，东靠景山，南临中南海，北接什刹海，是辽、金、元、明、清五个朝代逐渐修建而成的帝王宫苑，已有900年历史，是中国现存最古老、最完整、最具综合性和代表性的皇家园林之一。北海及其南面的中海和南海均为古代皇城内最重要的皇家园林，因位于紫禁城西，当时统称为西苑。

北海全园面积68公顷，水面积39公顷。全园以神话中的"一池三仙山"（太液池、蓬莱、方丈、瀛洲）构思布局，形式独特，富有浓厚的幻想意境色彩。全区可分为琼华岛、团城、北海东岸与北岸四个部分。琼华岛是全园的中心，岛上建筑、造景繁复多变，堪称北海胜景。东部以佛教建筑为主，永安寺、正觉殿、白塔，自下而上，高低错落，其中尤以高耸入云的白塔最为醒目；西部以悦心殿、庆霄楼等系列建筑为主，另有阅古楼、漪澜堂、双虹榭和许多假山隧洞、回廊、曲径等建筑。

北海东、北两岸有建筑群多处，各具特色，有画舫斋、濠濮涧、静心斋、天王殿、小西天、五龙亭、九龙壁等园中园和佛寺建筑。北海南为屹立于水滨的团城，以永安桥与琼华岛相连；团城上的建筑按中轴线对称布置，主殿承光殿位于中央，规模宏大，造型精巧。

北海标志性建筑白塔寺为清顺治八年（1651）所建，清乾隆八年（1743）改为永安寺。主要建筑有法轮殿、正觉殿、普安殿、配殿廊庑、钟鼓楼等。自下而上，依山势而筑。正觉殿前，建有"涤霭"、"引胜"、"云依"、"意远"四亭，对称而典雅美观。白塔为藏式喇嘛塔，高35.9米，塔身呈宝瓶形，上部为两层铜质伞盖，顶上设鎏金宝珠塔刹，下筑折角式须弥塔座。塔内藏有喇嘛经文、衣钵和两颗舍利。塔前有座小巧精致的善因殿。琼岛的西面有悦心殿，殿后有庆霄楼。西北面有阅古楼，楼内存放自魏晋至明代的法帖340件，题跋210多件，刻石495方。内壁嵌存的摹刻故宫中的《三希堂法帖》，为清乾隆年间原物。附近还有琳光殿，延南熏亭和山腰中的"铜仙承露盘"。

Beihai 北海与团城
AndRoundTown

琼岛的东北坡古木参天，这里便是"燕京八景"之一的"琼岛春荫"，美不胜收。

静心斋面积4700平方米，原为乾隆帝书苑，称乾隆小花园。后来辟作皇子的书斋。静心斋往西是天王殿。正殿系楠木建筑，这里是翻译和印刷大藏经的地方。后面的琉璃阁为发券式无梁殿结构，壁上嵌满琉璃佛像，光彩夺目。天王殿西侧，有座用424块七色琉璃砖砌成的九龙壁。它建于清乾陵二十一年（1756）。长25.86米，高6.65米，厚1.42米，为我国三座著名的九龙壁中最精美的一座。沿九龙壁南行，有座"铁影壁"，长3.56米，高1.89米，颜色与质地如同铁铸，双面雕刻云纹与怪兽，为元代浮雕艺术珍品。铁影壁北面，有三进院落。主建筑曾是乾隆帝礼佛前后的更衣处和游憩的别馆。清乾隆四十四年（1779），为保护王羲之的《快雪时晴帖》，增建了一个院落，名"快雪堂"。西面，沿湖有五座亭子，建于清顺治八年。五亭主次分明，飞金走彩，远望如同五龙浮动，故称"五龙亭"。

团城紧邻北海，其平面呈圆形，周围以城砖垒砌，高约5米，面积为4500平方米，主体建筑为承光殿，为平面呈十字的重檐大殿，内供奉白玉佛一尊。团城上供玉瓮一只，直径1.5米，为绿玉琢成，十分珍贵。城上古木繁多，有著名的栝子松"遮荫侯"和白皮松"白袍将军"。

Jing 景山 Stop4
shan

　　景山位于故宫北面、北京南北中轴线的中心点上，原为元、明、清三代的皇家御院。元代时，景山是大都城内的一座土丘，名叫青山。明永乐年间为营建宫殿，将拆除元代宫城和挖掘紫禁城护城河的渣土加堆到青山上，并把这里更名为万岁山。相传皇宫曾在山下堆存煤炭，因此也俗称煤山。崇祯十七年（1644）3月19日早晨，李自成率农民军攻入北京，崇祯帝仓皇出逃，在煤山东麓的一棵槐树上上吊身亡，现在古槐已不存在，但在原处又移了一棵外形相似的槐树，并挂有说明牌，述说这一史实。

　　清顺治十二年（1655）正式更名为景山，并凸现出"三门五亭"的独特景致。三座园门，即景山门、山左思门、山右里门；五座峰亭，自东向西依次为观妙亭、周赏亭、万春亭、富览亭、辑芳亭。

　　明清时期，景山下遍植各种花草、果木，有"后果园"之称，现在的景山公园里也先后建成了银杏园、海棠园、牡丹园、桃园、苹果园、葡萄园和柿子林，园林中草木蔽日，鸟语花香，市民和游客都喜欢到这里散步、纳凉。当然，景山最吸引人的景点还是万春亭，因为从那里能够俯瞰京城和紫禁城的绝妙美景。

推荐等级：
★★★★★

交通便利程度：
★★★★

乘车路线：
　　乘101、103、846路公共汽车至故宫站下

中山公园 Park
Zhongshan 社稷坛 Stop5

占地面积约362亩，前临长安街，后依故宫筒子，位于天安门西侧的北京历史名园中山公园，是国家首批一级公园，也是全国文物重点保护单位。原为辽、金时的兴国寺，元代改名万寿兴国寺。明成祖朱棣兴建北京宫殿时按照"左祖右社"的制度，改建为社稷坛。这里是明、清皇帝祭祀土地神和五谷神的地方。1914年辟为"中央公园"，1928年为纪念孙中山，改今名。

主体建筑有社稷坛、拜殿及附属建筑戟门、神库、神厨、宰牲亭等，后又陆续增建一些风景园林建筑，东部有松柏交翠亭、投壶亭、来今雨轩，西部有迎晖亭、水榭、四宜轩等。1915年将原鸿胪寺的习礼亭迁建于南坛门外，1919年从河北大名迁来石狮一对。以后又陆续建立公埋战胜牌坊（后改名保卫和平牌坊）、音乐堂和兰亭碑亭。中山公园以古柏著称，园内有上千棵树龄百年的古柏，其中南门内的七棵，据传是辽金时代就有了。

社稷坛是一座三层方坛，四周用汉白玉石围砌，坛面铺有黄、青、白、红、黑五色土壤，黄土居中，东青、西白、南红、北黑，以道教的阴阳五行学说象征"普天之下，莫非王土"及国家江山政权之意。因据古代神话传说，黄帝统治天下，居于中央。其由土神辅佐，持绳子，管四方，属黄色。在天下的四方又各有一位保卫者，即东方太皞，木神辅佐，持圆规，管春天，属青色。南方炎帝，火神辅佐，持秤杆，管夏天，属赤色。西方少昊，金神辅佐，拿曲尺，管秋天，属白色。北方颛顼，水神辅佐，拿秤锤，管冬天，属黑色。五色土正中有一土龛，原竖有一根高1.2米，0.5米见方的石柱，名社主石或江山石，以表示皇帝江山永固之意。坛外筑有矮墙，四面设棂星门。明清时期，每逢春、秋仲月上戊日，皇帝要来此祭祀社、稷神。同时每逢皇帝出征、班师等，也要在此举行仪式。

推荐等级：
★★★★

交通便利程度：
★★★★

乘车路线：
乘1、4、728路公共汽车至天安门西站下

Workers Palace Of Culture

劳动人民文化宫

太庙

推荐等级:
★★★★

交通便利程度:
★★★★

乘车路线:
乘1、4、728路公共汽车至天安门东站下

天安门东侧的劳动人民文化宫原为明清两代皇帝祭祀祖先的太庙,与社稷坛同属依皇宫旧制"左祖右社"而设计建造的。始建于明永乐十八年(1420),明嘉靖、万历和清顺治、乾隆年间曾多次修缮。太庙有三道红墙环绕:第一层院内四周有古柏近千株,树龄多达数百年;从琉璃门进入第二道红墙,有七座汉白玉石桥,称为玉带桥。桥南两侧为神厨和神库,桥北东西各有一六角琉璃井亭。戟门是第三道围墙正门,也是礼仪正门,门内三重大殿是中心建筑,黄琉璃瓦庑殿顶,巍峨雄伟,庄严肃穆。前殿称享殿,是举行祭祖大典的场所,矗立于三层汉白玉须弥座上,殿内68根大柱及木构件均为名贵的金丝楠木,天花板为贴金彩画。中殿称"寝殿",是平时安放帝、后牌位的地方。后殿称"祧庙",是供奉皇帝远祖牌位的地方。

太庙整体规制和木石部分大体保持原构,是北京最完整的明代建筑群之一。1924年辟为和平公园,1950年改为劳动人民文化宫。

地坛 Stop7

Altar Of The Earth

地坛坐落在安定门外，与雍和宫隔河相望又称祭坛、拜坛。方泽坛，是明清两代祭祀"皇帝祇神"的场所，是北京五坛（天、地、日、月、先农）中的第二大坛，是我国现存最大的祭坛，也是中国历史上连续祭祀时间最长的一座坛庙。先后有明清两代的15位皇帝在此连续祭地长达381年。地坛分内坛和外坛，以祭祀为中心，周围建有皇祇室、斋宫、神库、神厨、宰牲亭、钟楼等。明朝前期祭地与祭天是合并在今天的天坛内举行的，直到明嘉靖九年（1530）定立四郊分祀的制度以后，才另建坛祭地，当时称作方泽坛。嘉靖十三年(1534)，改称地坛。1925年辟为"京兆公园"，并在院内建造了北京有史以来第一个公共体育场。1957年改称"地坛公园"，定为北京市文物保护单位。昔日皇家坛庙，如今每年都举办春节文化庙会，以及地坛书市等活动，成为人们文娱休闲的好去处。

推荐等级：
★★★★

交通便利程度：
★★★★

乘车路线：
乘104快车、104、119路公共汽车至地坛站下

Altar Of The Earth 地坛

北京逛街地图
WALKING IN BEIJING

Stop8 The Temple Of Heaven 天坛

推荐等级：
★★★★★

交通便利程度：
★★★★

乘车路线：
乘15、2、17路公共汽车
至天桥站下

天坛位于北京内城东南，始建于明成祖永乐十八年（1420），原名"天地坛"，是明清两代皇帝祭祀天地之神的地方，明嘉靖九年（1530）在北京北郊另建祭祀地神的地坛，此处就专为祭祀上天和祈求丰收的场所，并改名为"天坛"。天坛是中国现存最大的古代祭祀性建筑群，也是世界建筑艺术的珍贵遗产。

天坛的建筑设计十分考究，"圜丘"、"祈谷"两坛同建在一个园子内。圜丘坛在南部，是天神的地方。祈谷坛在北部，是祈求丰收的地方。

天坛的主体建筑是祈年殿，旧时每年皇帝都在这里举行祭天仪式，祈祷风调雨顺、五谷丰登。祈年殿呈圆形，直径32米，高38米，是三重檐亭式圆殿，宝顶鎏金，碧蓝琉璃瓦盖顶；殿内九龙藻井极其精致，富丽堂皇，光彩夺目。大殿结构十分独特，不用大梁和长檩，檐顶以柱和枋桷承重，中央的四根立柱高19.2米，代表一年中的四季，外围两排各有12根柱子，分别代表十二个月和十二个时辰。大殿建于高6米的三层汉白玉石台上，使大殿产生出高耸云端的巍峨气势。

斋宫在西天门内，是皇帝祭天前沐浴斋戒的地方。东北角的钟楼内高悬着明成祖永乐帝在位时制造的一口太和钟，皇帝祭天时，从斋宫起驾，开始鸣钟，到皇帝登上圜丘坛，钟声方止。

天坛的另一美妙绝伦之处，是奇妙的回声。站在圜丘坛的中心喊一声，你会听到仿佛从地层深处传来的明亮而深沉的回响，这声音仿佛来自地心，又似乎来自天空，所以人们为它取了一个充满神秘色彩的名字："天心石"。在皇穹宇的四周有一道厚约0.9米的围墙，你站在一端贴着墙小声说话，站在另一端的人只要耳贴墙面就能听得异常清晰，并且还有立体声效果，这就是"回音壁"。这也充分显示了中国古代建筑工艺的发达。

连接祈年殿和圜丘坛的是一条南北长360米、东西宽30米的丹陛桥。此路南低北高，南北相差2米。跨出祈年殿的大门，沿着当年帝王的足迹漫步桥上，松柏苍苍，门廊重重，越远越小，越小越远，纵目远眺，有一种从天上走来的感觉。

Of Heaven
TheTemple天坛

北京逛街之访古记

环紫禁城线　城墙城门线

寻找北京古城墙

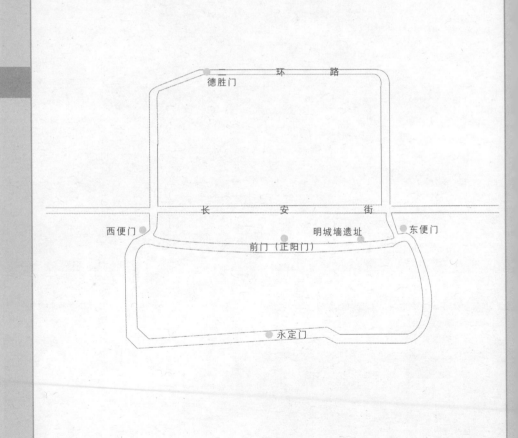

↑北

二　环　路
德胜门

长　安　街

西便门　　　　　　　　　　明城墙遗址　　　东便门
前门（正阳门）

永定门

2 城墙城门线

关键地标：前门 东便门 德胜门

城墙和城门

City Wall And City Door

明清时代北京的城墙与城门有"内九外七、皇七禁城四"之说。

北京城原有4道城墙，城中心的皇宫外有紫禁城，其外又环以更大的城墙，称之为皇城，外面还有周长24里的内城，另外还有南边的外城。

"内九"，是指内城墙共有九门。内城是明太祖年间建造，共有9个城门，老北京说的四九城，就是指东西南北四面城墙和九个城门，在"文革"时因修建地铁而拆除。九门各有分工严明的用途：正阳门（前门）走皇车，崇文门走酒车，宣武门走囚车，阜成门走煤车，西直门走水车，德胜门走兵车，安定门走粪车，东直门走木材车，朝阳门走粮车。

"外七"，是指外城墙有七门，是明朝嘉靖年间建筑，当时，正阳门外人口增多，为防外族的侵扰，刘伯温等人倡言修筑了北京外城，于是北京城才形成"凸"字形。外城墙总长度28公里，其七门为：永定门、左安门、右安门、广渠门、广安门、东便门和西便门。

"皇七"，建于明永乐年间，是指以天安门城楼两侧为起点的红墙，即皇城，共有七门。皇城城墙的总长度约为9公里，环绕着紫禁城，共有七门：天安门、地安门、东安门、西安门、大明门（清代改为大清门，民国时叫中华门）、长安左门和长安右门。

"禁城四"，是指紫禁城有四门。外城之中有内城，内城之中有皇城，皇城之中是紫禁城。所以，紫禁城是城中之城。紫禁城呈长方型，城墙的总长度为3公里，高10米，共有四门：午门、神武门、东华门和西华门。

北京的城墙到今天几乎被拆光了，仅剩下正阳门城楼、德胜门箭楼和东南角楼三座城楼以及零散地分布于西便门和东便门的几道城墙。东便门的两三段旧城墙，可以说是北京城剩下的最原汁原味的明代旧城墙了。

Stop1 Qian**men**
前门（正阳门）

前门、箭楼曾是老北京的象征。正阳门原名丽正门，是明清两朝的内城的正南门，始建于明永乐十七年（1419）。因其位于紫禁城的正前方，又有"前门"之称。它集正阳门城楼、正阳门箭楼与正阳门瓮城为一体，是一座完整的古代防御性建筑体系。正阳门是老北京"京师九门"之一，也是内城九门中唯一箭楼开门洞的城门，专走龙车凤辇，同时它也是九门当中规制最高的一座。整个城楼通高42米，为北京城九门门楼中最高的城楼。据地方志上记载：当时的城楼、箭楼规模宏丽，形制高大；瓮城气势雄浑，为老北京城垣建筑的代表之作。500多年来，正阳门饱经沧桑，几毁几修，现仅存城楼和箭楼，是目前北京城内唯一保存较完整的城门。城楼上有北京民俗民览馆。1988年被列为全国重点文物保护单位。

推荐等级：
★★★★★

交通便利程度：
★★★★★

乘车路线：
　乘22、17、726路公共汽车至前门站下

Dong 东便门
bianmen Stop2

北京外七楼之一，是全国现存最大最早的城垣角楼，始建于明嘉靖年间。楼高17米，东、西、南三面共设箭窗144个。明清时北京外城墙四角均建有角楼，现仅存东便门角楼。明代粮船废城内水运后，粮船货物均在东便门外由陆路运至城内。1958年被部分拆除，只剩下转角楼。1982年被列为全国重点文物保护单位。

推荐等级：
★★★★

交通便利程度：
★★★★

乘车路线：
　乘713、12、29路公共汽车至东便门站下

明城墙遗址公园 Stop3

MingDynastyityWall RelicsPark

　　明城墙遗址公园在北京火车站南侧，属于旧城墙的东便门段，是北京目前保存的明城墙中最好的一段，不到2公里。青灰色城墙从崇文门三角地向东，沿崇文门东大街静静蜿蜒，直到二环路口。它的最东端连着东便门转角楼。

　　明城墙遗址公园，是在东便门地区残存的城墙基础上复建起来的，那些连接旧墙的新墙的表面，也都是用征集来的旧城砖堆砌起来的。细心的话，还能发现上面镌刻的"嘉靖"、"万历"等字样。现对公众免费开放。

推荐等级：
★★★★★

交通便利程度：
★★★★

乘车路线：
　　乘713、12、29路公共汽车至东便门站下

Yong Stop4 永定门
dingmen

　　永定门是北京外城正门，也是外七城中最大的、最重要的城门。始建于明嘉靖三十二年（1553），是北京城中轴线最南端的建筑标识，1949年解放军即由永定门进入北平城。1957年永定门被彻底拆除。2004年复建，永定门重新成为北京城的文化标志。

推荐等级：
★★★

交通便利程度：
★★★★

乘车路线：
　　乘2、17、122路公共汽车至永定门站下

西便门 Stop5
xibian**men**

原为单层单歇山小式城楼，始建于明嘉靖年间，是老北京外城七门中最小的一座。基本规制与东便门一致。1957年被彻底拆除，现在仅余一段城墙。

推荐等级:
★★★

交通便利程度:
★★★

乘车路线:
　　乘44、46路公共汽车至西便门站下

德胜门 Stop6
De**shengmen**

位于北京城北垣西侧，是内城九门之一，由城楼、瓮城、箭楼组成。明洪武元年，元大都"健德门"被改称为"德胜门"，象征明军"以德取胜"。旧时军队凯旋必走德胜门进城。1955年德胜门城台、券门被拆除，德胜门箭楼得到重修，于1980年竣工，是北京重点文物，也是北京旅游必游地。

推荐等级:
★★★★

交通便利程度:
★★★★

乘车路线:
　　乘5路公共汽车至德胜门站下

游逛中国第一商街

↑ 北

灯 市 口 大 街

利生体育用品 ● ● 东堂（王府井教堂）

甘 雨 胡 同

东 安 门 大 街 金 鱼 胡 同

王府井外文书店 ● ● 新东安市场

东
单
北
大
街

北京百货大楼 ●

大 院 府 胡 同 ● 妇女儿童
用品商店

大甜水井胡同 ● 工美大楼 协和医学院 ●

王
府
井
大
街

东 单 三 条

● 王府井
书店

北京饭店 ● ● 东方新天地

东 长 安 街

1 东城路线

关键地标: 王府井

Wang fujing 王府井

Wang fujing

逛王府井

王府井是指王府井大街，南起东长安街，是一条闻名天下的具有数百年历史的商业街，全长810米，是北京唯一一条步行商业街，在北京有金街的美誉，到北京的人没有不去王府井逛一逛的。

远在辽、金时代，王府井地区还是一个人烟稀少的小村落。元代入主中原，定都北京后，人烟逐渐稠密。元世祖忽必烈曾下令开辟王府井，当时称为"丁字街"，将元代中央三大衙署中的枢密院和御史台分布在这条街上，也正是从这一代开始王府井才有了生气。到了明朝，这里修建了十座王府和三座公主府，1915年，北洋政府绘制《北京四郊详图》时，把这条街划分为三段，北段称王府大街，中段称八面槽，南段因有一眼甘洌甜美的甜井，与王府合称，就称为"王府井大街"。

关于王府井名称来源，民间还有一个传说。据说这口井当时在一座王府内，是一口有名的甜水井。一年适逢大旱，京城内很多水井都干涸了，唯独王府中的这口甜井依然保持着甘甜的井水。王府看门的是一个心地善良的老人，看到四邻百姓没有水吃，便让人们到王府中的这口甜水井打水，渐渐的住在远处的人也闻讯前来王府打水，"王府井"的名声就因此而传开了。

明代，王府井便有商贩搭棚设摊，东安门至王府井一带街道的两侧鱼摊菜市喧哗；清代开始形成市肆，店铺林立。清光绪二十九年（1903），在八旗兵神机营废弃的练兵场上建起了东安市场，这里场地宽阔，卖日用百货，还有民间艺人，打拳的、耍猴的、唱大鼓的、变戏法的、算命看相的，人来人往，十分热闹，东安市场也就成了内城的商业中心，王府井也更加繁荣。

如今的王府井大街，店铺林立，以新东安市场、百

货大楼和东方新天地为代表的众多商家迎接着海内外的游客。许多著名的百年中华老字号也在这里设有店面，如亨得利钟表行、同陞和鞋帽店、盛锡福帽店、东来顺、全聚德、东兴楼饭庄等，这些历史悠久的商号，汇聚着丰富多彩的中华传统文化，记录着京城历史的沧桑巨变。同时，也为王府井大街增色不少。王府井还汇集了当今世界上最著名的品牌专卖店，可谓是传统与时尚的商业汇合地。

王府井吸引人们的，不只是那些时髦的服装、琳琅满目的食品，更重要的还有这里的文化气息。说王府井是一条充满文化的步行街，一点也不为过。这里有许多栩栩如生的人物雕塑，有优美的古典教堂，还有说不完的历史传说和典故。走在这条大街上，你看到了最现代、最前沿的北京，同时也感受着这座古都最深沉的历史。

王府井还有一个不容错过的地方，那就是王府井小吃街。夜里，整条街高高挂起红灯笼，人头攒动，大家聚集在一个个的小吃店前。这里卖的是中国各地的特色小吃，有过桥米线、涮羊肉和牛肉、臭豆腐、狗不理包子，还有冰糖葫芦……走累了，坐下来喝杯茶，吃点小吃，也蛮惬意的。

Oriental
东方新天地 Plaza

地址：
东城区东长安街1号东方广场

推荐等级：
★★★★★

交通便利程度：
★★★★★

乘车路线：
乘坐地铁1号线、或者乘坐特1、52、728、37路公共汽车至王府井站下

东方新天地常常被比喻为王府井商业圈里一座加大加长的"商业巨轮"。这座庞大的购物、休闲、娱乐广场坐落在东方广场内，由东单一直延伸至王府井。

走进东方新天地，感觉像是把一条商业街搬到了室内，狭长的"街道"两边是鳞次栉比的店铺，唯一不同的是这条"街"分上下两层，并且可以从地铁直接进入。在这条室内商业街上开满了品牌店，600米的距离，有几百家店铺。

"东方新天地"其实更是一个闲来消磨时间的场所，除了购物街，这里还配有电影院、儿童乐园、车展厅和电信展厅、科技乐园等。这里不但是世界知名品牌的汇聚之地，也是北京白领和国内外游客们购物、就餐、娱乐、休闲的乐园。

Beijing
北京百货大楼 Stop2
Department Store

坐落于王府井步行街的有着"新中国第一店"之美誉的北京百货大楼，可谓见证了王府井商圈的兴起与繁荣。百货大楼是北京五十年代的经典建筑，在建筑用材和内外装修上也十分讲究，每隔十米一根的兽头型房檐柱头，外墙面的窗下檐和窗盘心上的雕花，具有民族特点的装饰图案等，使整座建筑看上去典雅古朴，具有浓郁的民族特色。百货大楼也是京城传统百货的佼佼者，许多老北京都有很深的百货大楼情结；如今，面对如雨后春笋般崛起的各类环境优美、设施现代的购物场所，百货大楼也不甘落后，无论从内部装修还是品牌结构都调整得更加合理，品牌级别和商品时尚度得到了提升，引进了如宝姿、柯罗地亚、安姬奥、施华洛士奇等许多时尚知名品牌。

地址：
东城区王府井大街255号

推荐等级：
★★★★★

交通便利程度：
★★★★★

乘车路线：
乘坐地铁1号线、或者乘坐特1、52、728、37路公共汽车至王府井站下

Stop3

Sun Dong An Plaza
新东安市场

在很多人眼里，新东安市场是一家"中西合璧"的现代商场，这里既有老北京商业特有的风格，又有新一代消费者所崇尚的购物环境。新东安市场的建筑设计相当有特色，被称为"北京90年代十大建筑"之一。

新东安市场经营的商品品种非常齐全，从工艺品、服饰、到电器、食品，应有尽有。新东安市场的地下一层尤其特别，仿古装饰，雕梁画栋，满眼都是老北京的茶馆、杂艺。地下一层还设有"老北京一条街"，一家家老字号串在一起，充满了老北京的独特气息，外地游客到这里可以很方便地品尝北京小吃，购买北京特产。在新东安市场外，有许多栩栩如生的铜制人像，它们既是对当年东安市场的追忆，也是对老北京文化的纪念，"祥子拉洋车"等雕塑更成为北京新建的王府井步行街上的新景观。

地址：
东城区王府井大街138号

推荐等级：
★★★★★

交通便利程度：
★★★★★

乘车路线：
乘坐地铁1号线、或者乘坐1、52、728、37路公共汽车至王府井站下

王府井书店 Book Store

Wangfujing

Stop4

地址：
　　东城区王府井大街218号

推荐等级：
　　★★★★★

交通便利程度：
　　★★★★★

乘车路线：
　　乘坐地铁1号线、或者乘坐特1、52、728、37路公共汽车至王府井站下

　　因成立最早(1949年)、品种最全、服务最好而享有"共和国第一书店"美誉的王府井书店，1990年代曾一直是全国规模最大的书店。作为北京乃至中国的一张文化名片，曾熏陶了一代又一代的读者，如今它也是人们游览王府井商业区必去的一处文化休闲之地。

　　王府井书店坐落于王府井大街南口，毗邻东方广场。走进王府井书店，迎面而来的是旅游图书和地图专柜，这给来北京游览的中外游客提供了很大的便利。除了旅游图书，王府井书店还经营政治、经济、文教、生活等方面的各类图书和音像制品。在6层的多功能厅，常常举办多种形式的文化交流活动，经常有名人们在这里签名售书。

　　在王府井这个喧嚣的商业地带，王府井新华书店的环境舒适而亲切，在游览购物之余，不妨走进王府井书店，融入书的世界。

East Cathedral 王府井教堂 Stop5

　　王府井教堂又称为"东堂"，建于清顺治十二年(1655)，是北京四大天主教堂之一。东堂算得上是王府井大街的北段的一处胜景，灰色的罗马式尖顶建筑因古老而越发透出神秘的气息，在建筑细部的处理上，则融入了许多中国传统建筑的元素。门前广场在绿树环绕中凸显出浓郁的人文色彩。在周围的现代化建筑映衬下，王府井天主教堂显得古朴而优雅，虽然身处闹市，却丝毫没减少它圣洁的气质，难怪不少新人都喜欢在这里举行婚礼。

　　教堂门前的广场两侧设有可供行人小憩的座椅，在教堂南侧还有一处占地1000多平方米、王府井大街上最大的绿地。有人说王府井商业街太过喧嚣和浮躁，只有一路走到北口的教堂前，才能感受到属于这条古老商业街的优雅与静谧。教堂、大树，滑板少年与婚纱新人在这里相映成趣，空气里隐约回响着教堂唱诗班优美的歌声，中西文化在这里自然交流，忙碌的游人们也纷纷沉醉于这浪漫的氛围之中。

地址：
东城区王府井大街74号

推荐等级：
★★★★★

交通便利程度：
★★★★★

乘车路线：
乘坐地铁1号线、或者乘坐特1、52、728、37路公共汽车至王府井站下

East 王府井教堂
Cathedral

Wangfujing 王府井外文书店
Foreign Languages
Book Store

王府井外文书店成立于1958年，是北京最大的外文书店。它位于王府井大街与金鱼胡同交汇的路口，和新东安市场相望。

秉着"让外国人了解中国，让中国人了解世界"的经营宗旨，王府井外文书店在不同时期都得到广大读者的赞誉，我国许多著名学者，如钱学森、陈景润、林巧稚等曾是这里的常客。如今图书品种更是丰富，数万种图书及音像制品中，涵盖了英、日、德、法等39种语言。书店三层以进口原版书为主，所有书刊均为海外原版，其中当然少不了《哈利·波特》、《指环王》这样的畅销书。王府井外文书店还常举办免费讲座，主要针对学习外语的青少年，来这里买了书，又学到了外语知识，可谓一举两得。

地址：
东城区王府井大街235号

推荐等级：
★★★★

交通便利程度：
★★★★★

乘车路线：
乘坐地铁1号线、或者乘坐特1、52、728、37路公共汽车至王府井站下

利生体育用品商厦
Lisheng sports Store

Stop7

地址：

东城区王府井大街201号

推荐等级：

★★★★

交通便利程度：

★★★★★

乘车路线：

乘坐地铁1号线、或者乘坐特1、52、728、37路公共汽车至王府井站下

利生体育用品商厦是一家有着近80年历史的老字号的专业商店。和王府井步行街上众多大名鼎鼎的综合商场不同，利生体育用品商厦以专营体育器材、体育用品闻名国内外，备受广大运动爱好者的青睐。

如今的利生体育用品商厦，已经成为全国最大的体育用品专营店，如果你是个运动爱好者，那一定要到这里来看看。

另外，利生大门前的蹦极也是王府井大街上的一处特色景点。

北京逛街之三城记
东城富西城贵南城市民气之
东城情结

文化与艺术的民间际会

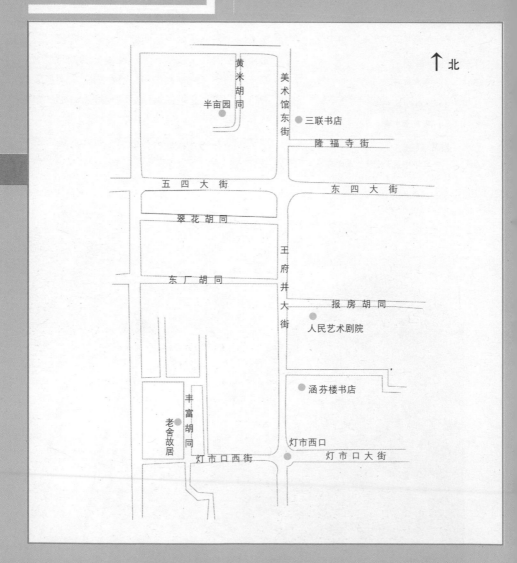

↑ 北

黄米胡同
半亩园
美术馆东街
● 三联书店
隆福寺街
五 四 大 街
东 四 大 街
翠 花 胡 同
东 厂 胡 同
王府井大街
报 房 胡 同
● 人民艺术剧院
● 涵芬楼书店
丰富胡同
老舍故居
灯市西口
灯 市 口 西 街
● 灯 市 口 大 街

2 东城路线

关键地标：美术馆

Stop1

Former Residence Of Laoshe
老舍故居
丰富胡同

推荐等级：
★★★★★

交通便利程度：
★★★★

乘车路线：
乘104、104快车、814路
公共汽车至灯市西口站下

小贴士

老舍(1899—1966)，小说家、剧作家、北京人、原名舒庆春，字舍予。1918年毕业于北京师范学校，曾担任小学校长和中学教员，1924年赴英国任教，1930年回国。此后，先后创作了《骆驼祥子》等多部长篇小说；抗日战争爆发以后，创作了《四世同堂》等作品；建国以后，创作了《龙须沟》和《茶馆》等名篇。

丰富胡同在灯市口西街上，是一条南北走向的小巷，清朝时称为风筝胡同，清末改称丰盛胡同，1949年以后，因与西城区的丰盛胡同重名，遂改为丰富胡同。

老舍故居即在闹中取静的丰富胡同19号。院子是老舍在1949年由美国归来后居住的地方，老舍一家在此住了16年，其间写下了《方珍珠》、《龙须沟》、《茶馆》等几十部著作和大量曲艺、杂文、诗歌、散文等。老舍的夫人在院内种了两棵柿子树，每当深秋来临，红柿高挂，所以这个小院子也被称为"丹柿小院"。

现在，故居院内的东、西厢房，被辟为老舍纪念馆，通过大量珍贵的照片，手稿，展示了先生的生平及创作历程。

Hanfenlou Book Store 涵芬楼书店

在王府井大街的北端，很容易就能看见商务印书馆那幢灰色的老建筑和旁边的涵芬楼书店。

涵芬楼本是商务印书馆上海时期的藏书楼，创立于1904年。当时，翰林出身的张元济主理商务印书馆的编务，在编辑工作中，常苦于找不到好的善本，于是创设了涵芬楼，取"含善本书香、知识芬芳"之意。现在的涵芬楼书店是商务印书馆的读者服务部，经营包括商务印书馆工具类图书及人文社科类的多种图书，涉及经济管理、社会学、哲学、政治、法律等学科的方方面面，同时，涵芬楼书店还经营国内优秀出版社的人文社科类图书。商务印书馆的辞书和人文社科学术著作是这里的主打书品，同时教材教辅类图书和各种生活类图书也有相当的规模。书店地下一层咖啡座经常举办高品位的读书、讲座活动，是品味图书、文化交流的好地方。

地址：
东城区北京王府井大街36号

推荐等级：
★★★★

交通便利程度：
★★★★★

乘车路线：
乘坐地铁1号线、或者乘坐特1、52、728、37路公共汽车王府井站，103、104快至灯市西口站下

Stop3
Beijing People's
人民艺术剧院 Art Theatre

地址：
东城区王府井大街 22 号

推荐等级：
★★★★★

交通便利程度：
★★★★★

乘车路线：
乘坐地铁 1 号线、或者乘坐特 1、52、728、37 路公共汽车至王府井站，103、104 快车至灯市西口站下

　　人民艺术剧院成立于 1952 年，是中国最著名的专业话剧院，文学大师曹禺任首位院长。多年以来，"人艺"一直以丰富多彩的演出剧目、严谨精湛的舞台艺术和情醇意浓的演出风格，吸引着海内外众多的观众。

　　北京人艺可谓走过了辉煌的历程，老舍的名剧《龙须沟》是她的奠基之作。到新中国成立十周年时，北京人艺一举推出了《茶馆》、《蔡文姬》、《骆驼祥子》、《伊索》等八台大戏，这在当时的京城是独一无二的。与此同时，几十位表演艺术家和舞台美术家也随之蜚声祖国大江南北。

　　对于北京人来说，看"人艺"话剧是文化生活中的重要部分，许多年轻人把"去人艺，看话剧"作为生活中的时尚亮点；就连国内外的游客来到北京，除了游览北京的古都风貌，欣赏国粹京剧，同时也不忘来看一场人艺的话剧。只要有著名的话剧上演，人艺剧场里总是热闹非凡，没有买到票的，只能在剧场门外焦急徘徊。

　　另外，不能不说的还有人艺小剧场。80 年代兴起的小剧场话剧，上演的剧目和大剧场风格迥异，低成本的制作、自由随意的风格，使它脱离了传统话剧题材与风格的束缚，摸索出属于青年一代的独特风格。从 1999 年的《恋爱的犀牛》到 2002 年的《第一次的亲密接触》，到这里看小剧场话剧已不仅是一种时尚，更成为了一种文化。原创的、反叛的或是商业的剧目在这个简单质朴的话剧小舞台上陆续登场。那些透着北京幽默与智慧的剧目更是阐释出北京文化中高傲又俏皮的内涵。

隆福寺
Longfusi Street

Stop4

　　隆福寺街因位于过去的隆福前而得名。明清时期，隆福寺庙会名闻京城。

　　如今的隆福寺虽然寺庙已无，透着传统韵味的街名与年轻、时尚的气息并立，虽然没有了前几年的热闹喧哗，但仍然是人们购物淘宝的热点去处。

　　在隆福寺街，靓丽的服饰可谓一大卖点，不仅数量多，而且款式、风格等到处都充斥着时尚元素。

　　除了服装，隆福寺的风味小吃也很有名，这里有馄饨侯、白魁老号、丰年灌肠等著名的老字号小吃。

推荐等级：
★★★★★

交通便利程度：
★★★★★

乘车路线：
　　乘坐103路、111路、814路公共汽车至美术馆站下车，或乘坐106路、116路、807路公共汽车至钱粮胡同站下车

The Book Store of SDX Joint Publishing Company

Stop5

三联韬奋图书中心

推荐等级：
★★★★★

交通便利程度：
★★★★★

乘车路线：
乘坐103路、111路、814路、104快公共汽车至美术馆站下车，或乘坐106路、116路、807路公共汽车至钱粮胡同站下车

在北京美术馆东街22号，坐落着一家充满人文情趣与时代艺术感的书店——三联韬奋图书中心。

说到"三联"，人们很容易联想到那家历史悠久享誉海内外的出版社——三联书店。三联书店的全称是"生活·读书·新知——三联书店"，由三家分别创立于20世纪二三十年代的"生活书店"、"读书出版社"和"新知书店"合并而成。

三联韬奋图书中心的三四层就是三联书店出版社，而一二层则开辟为一处文化氛围浓厚的书店。在书店一楼的大厅里，我们可以看到近期畅销书籍，与其他图书中心不同，在这里，文学、史论、哲学等人文图书是最受读者青睐的图书类型。在书店一角，还公布着本周书籍的排行榜，随意翻看几本，便可领略这里与众不同的品位。

二楼是艺术图书的世界。各种艺术类书籍从简装的到精装的，从西洋油画到中国国画，等等，应有尽有。这里还经常举办小型的文化讲座或是艺术展览，虽说规模不大，却使书店的意义得到了扩展。

韬奋图书中心的地下一层集中了国内文史哲图书的精华，有大量三联的本版书，也有其他出版社的精品。

三联图书中心的楼梯也是一道独特的风景。从地下一层到地上二层的50多级台阶上，两边总不乏拾阶而坐的看书人。这些经常光顾的书虫，往往在楼梯上一泡便是一整天，书店的楼道，也俨然成了阶梯教室。

或许是宁静，或许是惬意，三联韬奋中心总有一种特别的文化氛围弥漫其中，或许也正是因为这样，这里才始终汇集着京城乃至国内最执著的一批读书人。

Stop6

黄米胡同 Garden
Banmu 半亩园

黄米胡同形成于清朝，胡同里面，是京城著名的半亩园。有"东方莎士比亚"之称的清初杰出的戏剧家李渔，曾在北京留下两座著名园林，一为韩家胡同的芥子园，一为半亩园，现芥子园已拆迁，仅剩半亩园。现在，半亩园被分割成了三个小院，彼此独立。在整个宅园的东墙旁边，有一座非常别致的二层小楼，典型的中式建筑。在胡同的东侧还有一处比较大的院子，那里面现在搭建了很多房屋，院门只是一个很简单的墙垣门，不过又和一般的院门不同，很是高大。在北京的胡同里，这条胡同是短而精致的，值得一逛。

小贴士

半亩园，是过去北京著名的私家园林。最早这里是兵部尚书贾汉复的宅园，由清朝初年的戏剧家李渔(1610—1680)修建。后来，在道光年间，这座宅子被麟庆所得，大加修葺，并称其为"半亩园"。

推荐等级：
★★★★★

交通便利程度：
★★★★

乘车路线：
乘104、104快车、111路公共汽车至美术馆站下

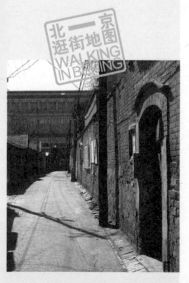

非开放单位谢绝参观

旧宅院

黄米胡同 Garden
Banmu

北京逛街之三城记

东城富西城贵南城市民气之

东城情结

找寻时代的印记

↑ 北

金鱼胡同　东单北大街　金宝街　朝阳门南小街

东堂子胡同　赵堂子胡同

王府井大街　协和医学院　外交部街　前赵家楼胡同

西总布胡同　东总布胡同

东单三条街　新开路

北极阁三条

东长安街

西裱褙胡同

东单体育场

东交民巷　崇文门内大街

崇文门西大街

3 东城路线

关键地标：东单

Stop1 宁郡王府

Palace of Prince Ning

北极阁三条

宁郡王府位于东单附近的北极阁三条。胡同很宽敞，走进胡同不远，就能看到一座规模很大的中式建筑群，虽然已显得有些破败，但从高大的楼宇和精美的琉璃上仍然可以看出过去的奢华与气派，这里便是宁郡王府。

宁郡王是康熙皇帝的十三子怡亲王的第四子。雍正年间，怡亲王去世，其七子承袭爵位，雍正帝又封其四子为宁郡王。及至咸丰年间，袭爵的怡亲王因罪被赐死，府第被没收；后来同治时，世袭宁郡王爵的怡亲王五世孙承袭怡亲王位，所以宁郡王府后来也被称为怡亲王新府。

北极阁三条由中部开始便逐渐狭窄，并有南北走向的北极阁胡同与新开路胡同相接。据说，北极阁名称的由来还与宁郡王府有关。清朝道光年间，宁郡王府曾经失火，当时火势很大，把王府的两座院落都烧毁了。火灾后，王府建筑了一座小佛楼，取名"北极阁"，因为古时候人们认为北极可以生水灭火，所以建造这么一个佛楼。然而，北极阁也没有保存下来，据说也是由于失火被烧毁了，只空留下了"北极阁"这个地名。

现存的宁郡王府仍基本保持着完整的院落格局。规模虽不大，但前殿和后寝形制都很完备，是一处较好的郡王府实例。现在古老的建筑已满目风霜，高大的殿堂里住着的可能就是寻常的百姓。旧时的权贵早就如烟而去，留得残片点点，述说着自己的前世今生。

推荐等级：
★★★★

交通便利程度：
★★★★★

乘车路线：
乘111、108、116路公共汽车至东单站下

Former Residence Of Yuqian

西裱褙胡同

于谦祠

西裱褙胡同位于东单路口北京日报社东部，现在胡同已经基本不存，只留下了胡同的23号，也就是于谦祠。由于西裱褙胡同靠近昔日的贡院，买卖字画者较多，巷里有很多从事裱褙的人，胡同因此而得名。

提到于谦，可能人们都会记起上学时诵读过的《石灰吟》，记得里面"粉身碎骨浑不怕，要留清白在人间"的千古名句。今天，在繁华都市的身后，去发现这座院藏在喧嚣中的祠堂，当别有一番滋味。

Former 于谦祠
Residence
西裱褙胡同 Of Yuqian

小贴士

于谦（1398—1457）是明朝的著名军事家和政治家，浙江钱塘（今杭州）人。明永乐年间中进士，曾担任监察御史、兵部侍郎、兵部尚书等官职。于谦所在的年代，正是明朝宦官专权的时代，朝政疏于管理，社会黑暗。蒙古瓦剌部首领率众南下来犯，本就不英明的明英宗在宦官的煽动下御驾亲征，最后却落得个惨败，自己还成了俘虏，这就是历史上著名的"土木堡之变"。

瓦剌军继续南下，兵临北京城下，在很多朝内大臣主张南逃的时候，于谦果断拥立新帝，坚持抗战。经过数天的激战，于谦领导的北京保卫战最终取得了胜利。而这场著名的保卫战的主战场，就在今天的德胜门外。

后来，英宗被瓦剌部放回，再后来，新帝代宗去世，英宗发动宫廷政变重新取得了政权，英宗当然会对拥立新帝的于谦耿耿于怀，后来便以莫须有的谋反罪，把于谦杀害了。一代名将就这样成了宫廷政治的牺牲品，让人扼腕。

推荐等级：
★★★★★

交通便利程度：
★★★★

乘车路线：
乘813、807路公共汽车至东单站下

Dongjiao minxiang
Stop3

东交民巷

推荐等级:
★★★★

交通便利程度:
★★★

乘车路线:
乘813、807、106路公共汽车至崇文门站下

　　东交民巷是北京最早的使馆区，位于天安门广场毛主席纪念堂东侧，是一条东西向的大街。跟它相对的，还有一条西交民巷。明代时，东交民巷叫东江米巷，在天安门广场西侧与之相对称的则叫西江米巷。这称呼的起源，要追溯到元朝年间。那时，北京的皇城外有一条水道，每逢南方的江米成熟季节，都要到北京上贡。运送贡米的船只沿着江河进入北京皇城外的水道，卸米的码头就在一条胡同口上，转运江米的这条胡同，以后就被北京挑夫称为江米巷了。

　　这里曾经是明、清两代"五部六府"所在地。清乾隆、嘉庆时期曾设有迎宾馆供外国使臣临时居住，分为高丽馆、蒙古馆、安南馆等。另外还有许多混合式馆舍，供没有专馆的外国人使用。

Dong jiao minxiang
东交民巷

1860年，英国人借着英法联军火烧圆明园的余威，选中了东交民巷最豪华的梁公府作为自己的使馆。法国人当然也不甘落后，还未等正式的外交人员到达，法军指挥官就先把肃王府占了下来，肃王府就成了法国领事馆。此后，俄国、美国、西班牙、意大利、荷兰、德国、日本等国的外交人员，也先后迁了进来。1871年之后，东交民巷正式成为使馆区。

及至义和团运动失败后，李鸿章签下了丧权辱国的《辛丑条约》，其中特意注明，东交民巷为使馆区，由外国人独立管理，中国人不得随意入内，更不得居留。1927年，蒋介石在南京成立国民政府，各国使馆也纷纷南迁，但仍然有一部分洋人留在了东交民巷。直到1949年中华人民共和国成立之后，在建国门附近重新划定一片使馆区，东交民巷才结束了它的外交使命。

东交民巷的街道，是北京唯一一处洋房林立的特色街巷。两边西洋建筑风格各异、错落有致，现有著名的美国使馆旧址、日本使馆旧址、六国饭店旧址、法国使馆旧址、法国邮政局旧址、花旗银行旧址、圣米厄尔教堂。这些历经一个世纪的西洋建筑，集中了近代西洋建筑的精华。

新中国成立以后，昔日的美国使馆，已成了公安部和最高人民法院的所在地。昔日的日本使馆，已是北京市政府所在地。

这些留存至今的建筑承载着旧中国的那段屈辱历史，百年东交民巷今天已是寻常的街道，安静而平和。

Peking Union 协和医学院
Medical College

Stop4

推荐等级:
★★★★★

交通便利程度:
★★★★

乘车路线:
乘111、108、116路公共汽车至米市大街站下

小贴士

协和医学院,创建于1906年,由英美六个教会和医疗组织联合兴办,称为协和医学堂。最初,医学堂开在东单新开路西口内,是当时最大的教会医院。1915年,美国洛克菲勒基金会出资购买了协和医学堂全部产业,并改称为协和医学院,同时购买了东单三条的豫王府,建起了中西式的楼房,这便是今天的协和医学院旧址。

豫王府不在了,"协和"历尽沧桑,声名远扬。王府没了,所幸的是当年门前的一对石狮子还在,尽职尽责地卧在早已改换了门庭的大门两侧,注视着过往的人流。

Peking Union
Medical College
协和医学院

协和医学院坐落在东单北大街上。协和医学院的知名不只是由于它严谨的治学精神,历史和人文方面浓厚的积淀也是非常重要的因素。

著名的周口店北京人头盖骨化石发掘以后,就一直存放在协和医学院里。后来在日本侵华战争时期,化石在转移的时候被遗失了,至今没有音讯。

Waijiaobu

Stop5

外交部街 jie

外交部街东起朝阳门南小街，西至东单北大街，因民国时期外交部曾设置于此而得名。外交部街在明朝时候，称为石大人胡同，因宦官石亨曾在此居住。

后来此处宅地主人屡经更迭，及至清代，成为工部宝源局的所在地，即铸造钱币的地方。宣统年间，将废弃的宝源局改建成迎宾馆，这就是我们今天在胡同中看到的西洋风格的建筑。

外交部街29号，是著名科学家侯德榜的故居。侯德榜是我国杰出的化学家，其发明的"侯氏制碱法"享誉世界。31号是明代宁远伯府，宁远伯即是李成梁，是明代镇守辽东的著名将领，为保卫中原立下了赫赫战功。31号院在成为宁远伯府之前，还曾是冉驸马府，府内的园林名为"宜园"，是当时京城八大名园之一，清代，这里成为了多尔衮后代的"睿亲王新府"。33号院，则是石亨府第，胡同原名石大人胡同即源出于此。59号院，是协和医院别墅区，是当时的专家宿舍，林巧稚即住在这里。

推荐等级：
★★★★
交通便利程度：
★★★★
乘车路线
乘24、713路公共汽车至外交部街站下

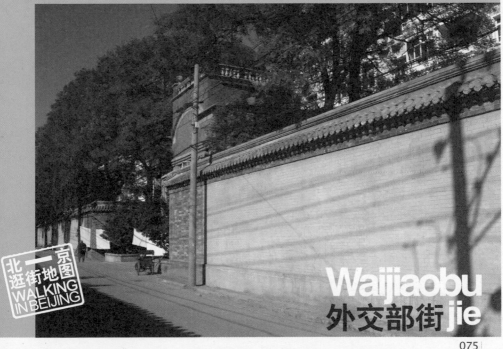

Waijiaobu
外交部街 jie

Stop6

Former Residence
朱启钤故居 Of Zhuqiqian

赵堂子胡同　中国营造学社旧址

赵堂子胡同在朝阳门南小街上，周围的一切都被钢筋水泥的建筑和宽阔的大道取代。

朱启钤故居建于1931年，是朱启钤在买下的一座未完工的院子的基础上按照《营造法式》建筑起来的宅院。当时聘请的木工、画工据说都是参加过紫禁城施工的老工匠。

现在，故居是某个单位的宿舍，院子里的整体格局基本上都没有变，每一个院落的进深，每一个过道走廊，甚至每一株花木，都在无声叙述着曾经的典雅。通过残存的雕廊石刻以及古朴的门窗，仍然可以想像得出过去的壮观。当时这院子的后院就是著名的中国营造学社，学社是由朱启钤先生创立的，梁思成和林徽因都曾在此工作过。

小贴士

朱启钤(1871—1964)，贵州开阳人。民国初年，朱启钤担任过很多职务，诸如交通总长、内务总长，甚至还代理过国务总理。朱启钤是一个实实在在的实干家，他做过的许多事情直到今天仍然在发挥着作用。比如他建筑的津浦铁路，比如他营建的黄河大桥，比如他管理的中兴煤矿和远洋公司，等等。他主持打通了府右街，南、北长街，南、北池子，开通了京城的南北交通要道，在南池子和南长街的路口，他设计的拱形街门，现在已经成为了长安街上的独特景致。朱启钤还把中南海南侧的宝月楼下层改建为新华门，如今的新华门已经成为中国政府的象征。

在朱启钤先生的诸多业绩当中，最值得称道的是他对北京旧城的改造。他主持修缮了社稷坛，兴建了今天的中山公园；他主持了正阳门的改造工程，不仅便利了北京的南北交通，而且正阳门箭楼两侧中西合璧的独特建筑装饰成了前门的标志之一。

推荐等级：
★★★

交通便利程度：
★★★

乘车路线：
乘24、713路公共汽车至禄米仓站下

Former Residence Of Lihongzhang

Stop7

东、西总布胡同

李鸿章祠堂遗迹 马寅初故居

推荐等级：
★★★★★

交通便利程度：
★★★

乘车路线：
乘24、713路公共汽车至外交部街站下

小贴士

李鸿章(1823—1901)，安徽合肥人。清末重臣，淮军创始人和统帅，洋务运动主要倡导者。曾任湖广总督、直隶总督兼北洋通商事务大臣，掌管着清朝的外交、军事、经济大权，是洋务派领导者。在他主持的外交中，签了诸多耻辱条约，中法战争之后，中国战胜，却签订了近于战败的《中法新约》；中日甲午战争后签订了《马关条约》；八国联军侵占北京后与侵略者签订了《辛丑条约》。

东西总布胡同在明朝称为总铺胡同，因总铺衙门设在此处而得名。清朝时，称总部胡同，清末以南小街为界分为东、西总布胡同。

在西总布胡同西口，100多年前曾经在此建筑了一座名为"克林德碑"的汉白玉牌坊。1900年6月20日，德国公使克林德在西总布胡同西口，不服清军盘查并开枪挑衅，被清军巡逻兵领队恩海击毙。随后，腐败无能的清朝政府屈服于侵略者，向德国道歉，杀害了恩海，并且耗巨款修建了一座汉白玉牌楼——"克林德碑"。

李鸿章签订的《辛丑条约》与西总布胡同那座克林德碑有着相当的关系，后来李鸿章死去，供人凭吊的公祠却又立在了这条他亲手带来屈辱的胡同里。及至今日，当年的祠堂早已没了踪影，只留下了一堵残存的红墙。从西总布胡同向东，穿过朝内南小街，就来到了东总布胡同。东总布胡同路口，有一座砖石的门楼，从匾额上面还依稀可以看出"宝成当"三个字。这是一家有着百年历史的老当铺的建筑，当年这里离贡院不远，所以典当业还是比较兴隆的。北大的老校长马寅初先生的故居就在东总布胡同的32号，是一座中西合璧的住宅，据说马家的后人仍然在此居住，建筑至今保存得十分完好。

小贴士

马寅初(1882—1981)，生于浙江省嵊县，中国著名经济学家、教育家。中学时就读于上海的教会学校育美书馆，1901年考入北洋大学学习矿冶专业，1906年赴美国耶鲁大学留学，后入哥伦比亚大学转攻经济，毕业后回国工作。是1949年后北京大学第一任校长。

Former Residence Of Lihongzhang

东西总布胡同

李鸿章祠堂遗迹 马寅初故居

Stop8 东单体育场

Dongdan Sports Center

地址：
东城区崇文门内大街108号

推荐等级：
★★★★

交通便利程度：
★★★★★

乘车路线：
乘坐地铁王府井站，或乘
1、4、52、728路公共汽车东
单站下车

北京的足球场远远不如羽毛球场多，尤其是草皮场地更是少之又少，并且大部分都在大学校园里。而在市中心，一块丰美的草皮加上便利的交通更是难觅踪迹，唯有东单体育中心一枝独秀。

东单体育场与东方新天地隔街相望，空旷的场地外是宽阔的街道，位置很容易寻找，并且全日开放。在这样视野开阔的场地上踢一场球，那心情真是无比的畅快。

除了足球场，东单体育场还是北京众多篮球爱好者的"圣地"，常有各路高手到此切磋技艺。每到节假日，篮球爱好者们便结伴来这里打球，从大清早一直打到傍晚，仿佛没有一丝倦意。

不管是酷暑还是严冬，东单体育场从来都不乏激烈奔跑的健儿身影，全国三人篮球赛，巨星乔丹的见面会，还有年轻人喜欢的热舞聚会也都曾在这里举行。和繁华的王府井遥遥相望，热闹非凡的东单体育场是北京另一处充满活力的魅力之地。

梁思成、林徽因故居
Former Residence Of Liangsicheng And Linhuiyin

Stop9

前赵家楼胡同 "火烧赵家楼"遗迹

前赵家楼胡同东起北总布胡同，西至宝珠子胡同，因过去胡同里有一座赵家的三层小楼而得名。

前赵家楼胡同1号是卖国贼曹汝霖的住宅，1919年5月4日，愤怒的北京学生为抗议签定《巴黎和约》，在天安门前集会，要求惩办曹汝霖、章宗祥、陆宗舆。集会以后，学生们来到了赵家楼胡同，并在这里火烧了曹宅，痛打躲藏在里面的章宗祥，这就是著名的"火烧赵家楼"事件。

前赵家楼胡同的路口就是北总布胡同的中间，这里的24号和26号是梁思成、林徽因夫妇故居的部分残存建筑，以前这里是一座很具规模的四合院。1930年到1937年，他们一直居住在这里，并参加朱启钤先生创建的中国营造学社。在那几年里，梁思成、林徽因夫妇调查和发现了一批历史悠久的古建筑，如现在已经中外皆知的赵州桥、云冈石窟、龙门石窟等。

小贴士

梁思成(1901—1972)，早年就读于清华大学。林徽因(1904—1955)，少年时随父在国外游历。1924年，梁思成与林徽因赴美国留学，学成回国后，曾在东北大学任教。后来，他们参加了朱启钤的中国营造学社，回到北京，在营造学社期间，他们夫妇二人完成了大量古建筑的调查和研究工作，拍摄了很多珍贵的建筑照片。在抗战时期，梁思成在极其困难的情况下，完成了《中国建筑史》。1949年以后，他力主文物古迹的保护工作，曾经设想在北京老城区旁边建设新城，从而保护内城的古建筑，同时保存明清两朝的城墙和城门，将北京城墙建设成世界独一无二的空中花园。然而，他的大多设想最终并没有实现，令人叹惜。

推荐等级：
★★★★★

交通便利程度：
★★★

乘车路线：
乘24、713路公共汽车至外交部街站下

北京逛街之三城记

东城富西城贵南城市民气之
东城情结

胡同深深，往事已成传说

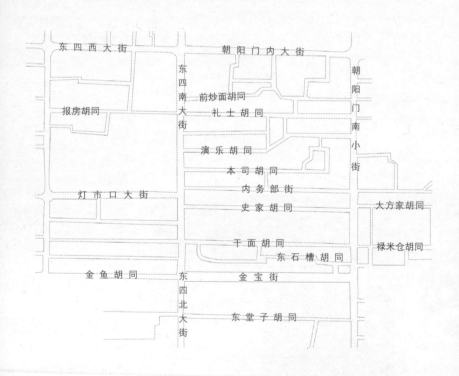

↑北

东四西大街　　朝阳门内大街

东四南大街

朝阳门南小街

报房胡同

前炒面胡同

礼士胡同

演乐胡同

本司胡同

内务部街

灯市口大街

史家胡同

大方家胡同

禄米仓胡同

干面胡同

东石槽胡同

金鱼胡同　　东四北大街　　金宝街

东堂子胡同

4 东城路线

关键地标: 灯市口

看门护院 人人有责
电话 65244161
65266587

宰相刘罗锅故居
Former Residence Of Liuluoguo

Stop1 礼士胡同

礼士胡同在明朝称为驴市胡同，也称骡市，相传此处是驴骡市场，因而得名。清朝末年，驴市废除，用其谐音改称礼士胡同。

礼士胡同的西边，云集了很多个壮观的宅院，相传西边曾经是清朝宰相刘墉的府第。现在，比较一致的说法是胡同的129号和131号是刘墉的故居，但还没有完全的证据加以证实。

小贴士

刘墉(1719—1805)，号石庵。生于书香门第，成长于显赫官员之家。他的祖父是康熙年间的进士，官至四川布政使，父亲是雍正时候的进士，官至东阁大学士。刘墉于乾隆十六年中进士，官至体仁阁大学士加太子太保。刘墉是清朝乾嘉时期的政治家，还是著名书法家和诗人。

电视剧《宰相刘罗锅》中很大成分都是戏说的情节，但是当年的刘墉也的的确确是一代清官。

推荐等级：

★★★★★

交通便利程度：

★★★★

乘车路线：

乘116、807路公共汽车至东四站下

章士钊故居 Hutong
Shijia 史家胡同

小贴士

　　章士钊(1881—1973)，出生于湖南长沙，二十几岁在南京陆师学堂读书时，参加了抗议沙俄侵略的活动，继而辞学，到上海加入了蔡元培组织的爱国学社，并担任了反清报纸《苏报》的主笔。1924年，加入段祺瑞政府，任司法总长，继而兼任教育总长。由于顽固地反对新文化运动，他受到了众多进步人士的抨击，在女师大学潮和"三一八"惨案中，他扮演了极不光彩和最不能让后人原谅的角色。但章士钊也是近代中国不可多得的伟大思想家之一。

推荐等级：
★★★★

交通便利程度：
★★★★

乘车路线：
　　乘116、111、813路公共汽车至灯市东口站下

　　史家胡同位于东城区灯市口大街对面，相传是由于当地曾有史姓的大户居住而得名的。在胡同西口，以前曾经是史可法的祠堂，有人认为这条胡同的命名也是这祠堂的缘故。史家胡同深处，可以发现很多个古老的院落，其中史家胡同51号是章士钊故居。

Stop3

Former Residence 内务部街
梁实秋故居 Of Liangshiqiu

小贴士

梁实秋(1903—1987),现代著名散文家。小学毕业考入了清华学校,1923年毕业后赴美国学习英美文学,1926年回到北京,旋即迁居上海,开办了新月书店,创办了《新月》月刊。在刊物上,梁实秋发表了大量文艺理论方面的论著,反对五四新文化运动提倡的个性解放以及现实主义作家对社会黑暗的揭露,反对文学的阶级性理论,并由此展开了与鲁迅旷日持久的论战。

推荐等级:
★★★★

交通便利程度:
★★★★

乘车路线:
乘116、111、813路公共汽车至灯市口东口站下

内务部街在明朝时被称为勾阑胡同,清朝年间则称构栏胡同或勾栏胡同,民国以后,因北洋政府内务部在此而更名为内务部街。内务部街在灯市口正东,由于身处繁华的闹市里面,路口周围也已经被许多小店包围,据说这附近曾经有个吠啸天的石兽遗迹,只是不知道去哪里寻找了。

胡同39号是梁实秋故居,一座典型的如意门,现在保存基本完好。在胡同东口,还有一个郡主府完好地保存着,据说这郡主府曾经是清朝大将明瑞的宅第。

北京逛街地图
WALKING
IN BEIJING

蔡元培故居 Stop4
Former Residence
东堂子胡同 Of Caiyuanpei

小贴士

　　蔡元培(1868—1940),浙江绍兴人,1892年中进士。中日甲午战争后,在上海组织成立了中国教育会,继而又创办了爱国学社。此后,赴法国留学,回国后任民国临时政府教育总长,1917年起担任北京大学校长,其主张的"兼容并包,思想自由"的教学理念影响了一代中华学人。

　　东堂子胡同有着近800年的历史,是北京城中历史最悠久的胡同之一,清朝末年的总理各国事务衙门,就坐落于胡同49号。蔡元培、沈从文、吴阶平、林巧稚、丁西林等对中国近现代历史文化科技发展作出重要贡献的文化名人都曾经在这里居住过。

　　蔡元培故居在胡同西口。是一所分东西两院,前后三进,保存比较完好的四合院。这个院落陪伴蔡元培度过了五四运动的全过程,是中国近代史大转折的见证。故居周围的建筑是在2000年拆掉的,本来已经把蔡元培故居划入拆迁的范围,并提出了所谓"异地保护"的说法,但是最终在有识之士的积极奔走下,蔡元培故居才得以保留下来。

推荐等级:
★★★★★

交通便利程度:
★★★★

乘车路线:
　　乘116、111、813路公共汽车至米市大街站下

Stop5

干面胡同 Hutong
Ganmian

干面胡同与禄米仓胡同相接，是旧时城里不少地方去禄米仓运输禄米的必经之地。那时候胡同路为土路，车马行走，尘土飞扬，被当地居民戏称为下干面了，胡同由此得名。

胡同的中部有一个三进的大院，从门口看去，就非常气派。院内，影壁，垂花门，高大的正房，全都完好地保存着。这宅子最早是清朝大学士李鸿藻的府第，因而建筑规格非常高。此外，胡同的33号据说是我国著名桥梁设计专家茅以升的故居。

北京
逛街地图
WALKING
IN BEIJING

推荐等级：
★★★★★

交通便利程度：
★★★★

乘车路线：
乘116、111、813路公共汽车至米市大街站下

Baofang Hutong Stop6

报房胡同

报房胡同东起东四南大街，西至王府井大街。报房胡同在明朝时称为豹房胡同，传说此地是为皇宫圈养豹子的地方。还有种说法，说报房胡同得名就是报纸的缘故，当然，这里说的并不是现代的报纸，而是木字排印的用以发布皇帝谕旨和大臣奏议等官方文件。胡同东西走向，夹杂在两条繁华的大街中间，中间套着几条南北走向的小胡同，如多福巷、弓箭大院等，比较幽静，值得一逛。

推荐等级：
★★★

交通便利程度：
★★★

乘车路线：
乘116、111、813路公共汽车至灯市东口站下

Baofang Hutong
报房胡同

北京逛街地图
WALKING IN BEIJING

Stop7
禄米仓胡同Hutong
Lumicang

推荐等级:
★★★★

交通便利程度:
★★★

乘车路线:
乘24、713路公共汽车至禄米仓站下

禄米仓胡同东起小牌坊胡同,西至朝阳门南小街,因胡同北侧过去有禄米仓而得名。禄米仓是明清两朝存储在京任职官员俸米的地方,仓里原有明代历任仓场监督题名牌,海瑞曾在这里任仓场监督,现为北京市级文物保护单位。禄米仓之北,还有海运仓、北新仓,以及成为创业产业基地的南新仓。

智化寺 Stop8
Zhihuasi

推荐等级：
★★★★★

交通便利程度：
★★★

乘车路线：
乘24、713路公共汽车至禄米仓站下

智化寺
Zhihuasi

智化寺坐落在东城区禄米仓胡同深处，全称"敕建智化寺"。智化寺建于明英宗正统八年（1443），是北京现存最大的明代木建筑群，原为明代有名的太监王振的家庙，后改为佛寺。

进入山门，钟鼓楼下各有一个树坛；往后，左边是藏殿，正中是智化殿，右边是大智殿。藏殿里有一具北京仅有的明代转轮藏，直达屋顶，表面布满了抽屉式的经柜，每面九层，每层五屉，每个抽屉的表面上都雕刻有一尊佛像。下面的汉白玉须弥座，传说其转角处雕刻的是天龙八部。智化寺还有一座闻名中外的楠木藻井。这藻井位于万佛阁的顶阁，造型精美绝伦，历经百年风霜未曾损坏，却在20世纪30年代被寺里的僧人盗卖给了美国人，现收藏在美国堪萨斯州的纳尔逊博物馆，在寺里只能看到它的照片。此外，寺中刻制于清朝雍正至乾隆年间的龙藏经版，是我国现存唯一的大藏经版，也是世界上仅有的两部汉文大藏经版之一，无比珍贵。

智化寺还有一绝，就是"智化寺京乐"，至今已有500余年的历史，与西安城隍庙鼓乐、开封大相国寺音乐、五台山青黄庙音乐及福建南音并称五大古典乐种，被誉为音乐界的"无形文物"。智化寺京乐师徒相传，至今已传至第28代。

智化寺虽处闹市，却又深藏于胡同深处，十分幽静。漫步于殿前，见群鸽伴随悦耳的鸽哨不时从天空掠过，独坐檐下，聆听一曲如天籁之音般的佛门古乐，历史的厚重在朴素的民生下表现得异常透彻。

这里见证老北大的青春

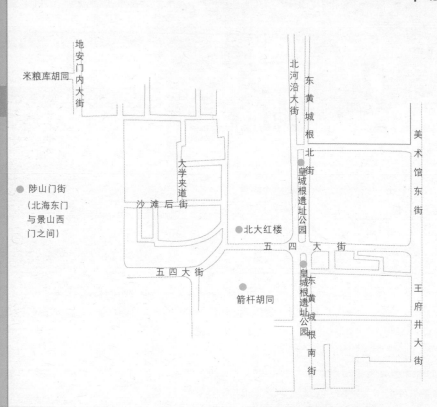

↑北

米粮库胡同

地安门内大街

北河沿大街

东黄城根北街

皇城根遗址公园

美术馆东街

陟山门街
（北海东门
与景山西
门之间）

大学夹道

沙滩后街

北大红楼

五四大街

五四大街

箭杆胡同

皇城根遗址公园

东黄城根南街

王府井大街

5 东城路线

关键地标: 沙滩

Stop1

箭杆胡同
Jian gan Hutong
陈独秀旧址

箭杆胡同位于东城区皇城根遗址公园以西，沙滩以南。现在，胡同已经基本不存，唯一留下的是已经被列为市级文物保护单位的陈独秀旧址，也就是《新青年》编辑部。院子很破败了，大门斑驳不堪，里面搭建了很多小房屋，庭院已经没有，只有窄窄的过道。院门是典型的蛮子门，门墩和门簪还完好保存着。

推荐等级：
★★★★★

交通便利程度：
★★★

乘车路线：
乘111、846、101路公共汽车至沙滩站下

小贴士

1917年，陈独秀应蔡元培邀请来北大出任文科学长的时候，这里便成了他的住所，当时租住在院子的东半部；他创办的《新青年》杂志也随之迁到了北京，这里也就成了杂志的编辑部，鲁迅、周作人、胡适、钱玄同、刘半农、沈尹默和陈独秀轮流编辑，鲁迅的《狂人日记》就发表在1918年的《新青年》上。此外，陈独秀还创办了《每周评论》，与《新青年》相互配合，作为新的舆论阵地。

Stop2

皇家冰窖

Zhi 陟山门街 Jie
shanmen

陟山门街东起景山西街，西至北海陟山门，因陟山门而得名。所谓陟山门，就是北海公园的东门，陟，即为登高之意。

在陟山门街里，还有一条名为雪池胡同的支巷，里面残存着两座皇家冰窖，半地下式建筑，一直使用到辛亥革命以后。如今，只有残存的黄色琉璃还在述说着往日至高无上的皇权。

陟山门街以南，是著名的大高玄殿。大高玄殿始建于明朝嘉靖年间，是明清两朝的皇家道场。

推荐等级：
★★★★

交通便利程度：
★★★★

乘车路线：
乘5、810路公共汽车至景山后街站下

Stop3

米粮库胡同 Former Residence
胡适故居 Of Hushi

小贴士

胡适(1891—1962),安徽绩溪人。1910年赴美国留学,1917年回国,任北京大学教授,倡导新文化运动,继而成为新文化运动的核心和中国现代文学的领袖人物。他是"五四"运动领导者之一,《新青年》杂志的编委,他倡导的独立精神,使之成为影响广泛的思想家。1920年3月,他出版了中国现代文学史上的第一部白话诗集《尝试集》。

推荐等级:
★★★★★

交通便利程度:
★★★★

乘车路线:
乘5、810路公共汽车至地安门内站下

米粮库胡同因以前胡同里有存放米粮的仓库而得名。胡适曾在米粮库胡同4号居住过。在上个世纪30年代,米粮库胡同是著名文化人的聚居地,陈恒、傅斯年、梁思成、林徽因、徐悲鸿、徐志摩、丁文江都在这里留下了他们的身影。走进胡同去,在胡同的北侧已是新式的建筑和大院,而南侧古老的院落还大多保存着。胡同中部骤然变窄,胡同也随之打了个小弯,再往前走,胡同再次转了个弯,然后就与恭俭胡同相接了。由恭俭胡同一路向北,便可到达北海。

Stop4

北大红楼 Red House
Peking University

推荐等级：
★★★★★

交通便利程度：
★★★★

乘车路线
乘111、846、101、103路
公共汽车至沙滩站下

1918年建成，因该建筑主体用红砖建成，故而得此称谓。西洋式建筑风格，建成伊始，她就成为中国先进思想和文化的策源地。民主广场在红楼的后面，当时很多著名的民主活动都是在此进行，最著名的自然是"五四运动"了。

Stop5

大学夹道 沙滩后街
ShatanhouJie

北京逛街地图 WALKING IN BEIJING

推荐等级：
★★★★★

交通便利程度：
★★★

乘车路线
乘111、846、101路公共
汽车至沙滩站下

沙滩后街在清朝时称为马神庙街，因胡同内有马神庙而得名，民国时期曾称为景山东街，1949年后改称沙滩后街。顺胡同东行不远路北，是过去北京大学的建筑遗存，一间一间的房屋并列着，有很多排。沙滩后街里有一条名为大学夹道的小胡同，因紧邻着北京大学旧址的院墙而得名，现在胡同里仍然有残存的院墙。

Stop6

Huang 皇城根遗址公园
Hchenggen heritage park

沿北京皇城墙遗址修建的皇城根遗址公园南起长安街，北至平安大街，西邻北河沿大街，东到东皇城根北街、南街，是北京城中心区的一处独特的"绿色地带"，同时也是人们了解北京城市历史的一扇窗口。

作为一个开放式的街心公园，皇城根遗址公园里种植了数千棵各种树木、3万多株花卉和灌木，还在公园中设置了10处阶梯式喷泉，由此在市中心营造出了一条浓郁的绿化带。为了宣传老北京皇城的历史，在皇城根遗址公园里有三处原城墙实物展示，还有数十处城市雕塑小品，在这里，人们可以切身了解到古都发展的历史轨迹。

在皇城根遗址公园沿线就是北京历史人文景观和商业设施集中的地区。在公园附近有天安门、故宫、景山、北大红楼等，公园东侧相隔数百米就是著名王府井商业街。

推荐等级：
★★★★★

交通便利程度：
★★★★★

乘车路线
乘60路公共汽车北河沿站下

Huang 皇城根遗址公园
Hchenggen heritage park

北京逛街之三城记
东城富西城贵南城市民气之
东城情结

踏访故居，流连小店

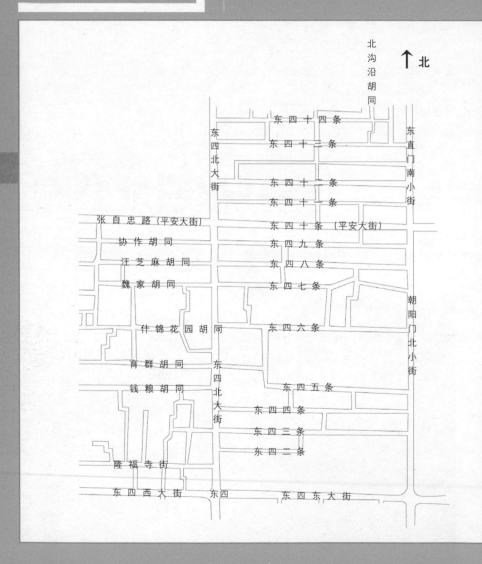

6 东城路线

关键地标: 东四

Stop1 Qian liang Hutong
钱粮胡同

章太炎故居

钱粮胡同东起东四北大街，西至大佛寺东街。明朝时，称为钱堂胡同，清朝时宝泉局在此设厂铸钱，故而称为钱粮胡同。

民国三年，章太炎曾经在此居住过，大概的位置在胡同中间。当时袁世凯笼络不成便派人将他监视起来，这样大约两年有余，直到袁世凯死后，才恢复自由。其间，鲁迅曾数次前往拜访。此外，清代文渊阁大学士耆英的宅邸据说是胡同里的19号和21号两个院落。

如今的钱粮胡同已变了模样，古老的建筑不是很多，往来的车辆和行人，呈现出的是一幅完全现代的生活图景。

小贴士

章太炎(1869—1936)，名炳麟，号太炎，浙江余杭人，中国近代民主革命家、著名学者。一生著述很多，有《新方言》、《文始》、《小数答问》、《国故论衡》等。

推荐等级：
★★★

交通便利程度：
★★★★

乘车路线：
乘116、807路公共汽车至钱粮胡同站下

Yeshengtao
Former Residence Of
叶圣陶故居
东四八条

东四八条东起朝阳门北小街，西至东四北大街，因该胡同在东四北大街路东的胡同中由南向北排在第八位而得名。东四八条因胡同内原来建有正觉寺，在明朝时称为正觉寺胡同。

东四八条不是很宽，但里面的宅门大多比较精制，无论是排场的广亮大门还是普通的如意门。总的说来，胡同里的广亮式大门还是比较多的，可以看出这里曾经是高官显贵们的居所，尤其是胡同西半部分，就更加明显。从胡同东部开始断断续续出现了寻常人家的门楼，不过大多也还比较规整，建筑也比较大气。

胡同的71号是叶圣陶故居，一座非常齐整的四合院，院内垂花门和游廊俱全，现在保存基本完好。

小贴士

叶圣陶(1894—1988)，本名叶绍钧，字秉臣，后改字圣陶。1894年生于江苏省苏州市。提到叶圣陶，就不能不提他的童话，可以说他是现代文学史上最早写童话的作家。他创作的《稻草人》等脍炙人口的名篇至今仍广为传诵。另外，他创作的长篇小说《倪焕之》、散文《藕和莼菜》也都是现代文学史上的不朽之作。

推荐等级：
★★★★

交通便利程度：
★★★★

乘车路线：
乘116、807路公共汽车至钱粮胡同站下

北京逛街地图
WALKING IN BEIJING

四合院

Yeshengtao
Former Residence Of
叶圣陶故居 东四八条

Stop3

Former Residence 什锦花园胡同
吴佩孚故居 Of Wupeifu

小贴士

吴佩孚(1874—1939)，山东蓬莱人，北洋军阀直系首领。1923年镇压京汉铁路工人罢工，酿成"二七惨案"。1927年，被北伐军打垮，逃至四川。"九一八"事变后，寓居北京，日本人曾多次迫其出任伪政府首脑，他坚辞不受。

推荐等级：
★★★

交通便利程度：
★★★★

乘车路线：
乘116、807路公共汽车至钱粮胡同站下

什锦花园胡同较为曲折。过去，胡同中曾有一座适景园，为京城著名私家园林之一，清朝乾隆年间称为石景花园，宣统年间称什锦花园。

这条胡同曾住过一位风云人物，他曾经亲历了很多著名的历史事件，他便是吴佩孚。

吴佩孚在他的军旅生涯中，可以说没有做过什么好事，尤其让后人不能原谅的是他一手制造的"二七惨案"。但是，作为一个历史人物，我们又必须公正地看待他的整个人生。他在北京养老的日子里，坚持和日本人抗争，保存了自己的尊严，得到了历史的认同。

Former Residence Of Liangqichao

梁启超故居

Stop4 北沟沿胡同

北一京
逛街地图
WALKING IN BEIJING

推荐等级：
★★★★★

交通便利程度：
★★★★

乘车路线：
乘24、713路公共汽车至海运仓站下

Former Residence Of Liangqichao
梁启超故居

　　北沟沿胡同北起大菊胡同，南至东四十四条。明朝时称为学房胡同，清朝乾隆年间称官学胡同，清末始称北沟沿。过去由西直门到东便门附近有一条排水沟，胡同临接于此，由此得名。梁启超曾居住于此。

　　北沟沿胡同的南口在东四十四条里面，并不是很明显，胡同南北走向，也不算很长，所以由一端就能远远望到另外一端。由南口走进去，远远的就能看到一排高大的槐树，树干紧紧依靠着一边的院墙，而枝叶则在整条胡同上空伸展开来，把两侧的房屋连接在了一起。在这片槐树底下，胡同23号是梁启超故居，是一座东西合璧的院门，整个院子看上去很高大，在胡同里很是明显。院子的对面还有一个非常小的院子，门口标着梁启超书斋的字样，是一座中式门楼，应该是墙垣式门的一种，不知道为什么，还镶嵌了一个类似垂花门的饰物。

Stop5

小店攻略 **逛东四**

Walkalong
Dongsi Small Shop

推荐等级:
★★★★★

交通便利程度:
★★★★★

乘车路线:
乘坐116、111、108、813、807路公共汽车至东四站下

王府井步行街在北京有购物"金街"之称,而时髦一点的人会更喜欢东单向北一直延续到东四的"银街"。这一带多是特色精品店和外贸小店,价钱比大商厦里便宜得多,款式却因小批量生产而显得独特。可贵的是,这里的服饰还会比商场里正时髦的商品多一点点别致和精细。

这里道路两旁商店一个挨一个,不管是店面装修、装饰布局还是商品都很有特色。

东四小店攻略:

1. 食草堂

专卖店虽然不大,但气氛做得很足,这里的牛皮包式样丰富,从最小的钱包到男式的大挎包,品种有上百个之多。皮子有的选用头层皮,质地细腻,手感柔软,光泽度好;有的选用二层皮,手感较柔软,价格相对低一些。仅使用一层皮做的包,背起来比较随身、轻便,而使用两层皮制作的包则外型挺括、结实耐用、粗犷厚重。

地址:东四北大街367号

2. 谭木匠

专门销售各式各样的木梳。3厘米的牛角梳子是最小的,可以挂在胸前当装饰。任何款式的货品都可根据客人的需要雕刻文字和简单图案。

地址:东四北大街375号

3. 蓝礼小屋

蓝礼小屋像是一家"杂货铺",这里有印尼木雕手工艺品、竹子风铃、KITTY猫零食盒,各种新奇的玩意一定会让你大开眼界。

地址:东四北大街421号

4. 军野行

这是一家凝固着军野情结的小店。有各种野战丛林服、沙漠战斗靴、空军飞行头盔,各种各样的军帽、肩章、军表、打火机,一应俱全。

地址:东四北大街383号

5. 牛仔酷

从香港进来的牛仔服饰都很有味道,有双层蕾丝装点的短裙,也有布满浅色的补

丁的深蓝色的裤子，都不是普通店里可以找得到的。时尚男女、模特和娱乐圈的朋友是这里的常客。

地址：东四北大街447号

6.反制衣革

另类可以概括这个店给人的第一印象，他们贩卖的服装、背包、鞋帽除了自己的品牌以外还囊括了哈雷、G-Workz和IF等其他站在时尚前沿的欧美服装品牌。

地址：东四北大街447号

7.潜龙堂（纯银生活）

主营的银饰品和琥珀饰品，粗粗看起来和别家银饰店没有分别，但工艺和原材料据说百分之百来自尼泊尔、印度或是中国西藏地区。

地址：东四南大街104号演乐胡同口

8.贝蒂专卖店

店如其名，有各种贝蒂用品、玩物、时钟，亮丽颜色的休闲女鞋，还有各种卡通钱包、化妆包。

地址：东四南大街66号

9.模糊店

模糊店已走过十年的春夏秋冬，现在的它以服装服饰为主，古朴、个性、回归田园的设计风格，有帆布背包和挎包，浅黄色吊带裙，棉麻印花背心，等等。店里还常有特卖品，店小就要考验你的细心了，细心就一定会有惊喜发现。

地址：东四南大街142号

10.边缘地带（时尚男人甲乙丙丁）

这是一家北京少有的"男人店"，所有商品都针对男士顾客。服装、皮鞋、腰带和皮饰品都源于广东时尚理念。店内有地下、一层、二层三个购物区，二层更像个舞台，台面上摆满翘头皮鞋、皮质项链、半袖上衣等等前卫的服饰新品。

地址：东四南大街甲108号

11.唐人食艺

梅子是唐人食艺的主营食品，按酸、甜、咸和姜味等不同口味陈列，可以买到近60种散装梅子和干果。这里还有来自狮子国度和热带雨林的东南亚食品，印尼的水晶糖，日本有名的不二家牛乳糖，也有欧洲食品，英国的柠檬糖，法国巧克力等。

地址：东四南大街134号

12.流行舍

法国、意大利、韩国和中国香港的品牌服装、皮包、皮鞋、手表等，款式前卫，价格却相对便宜。商品的更替特别快，没两天就有新货上架，如果看上喜欢的，一定要果断买下来才行。

地址：东四南大街99号

北京逛街之三城记

东城富西城贵南城市民气之

东城情结

皇家学府风范与文学大家踪迹

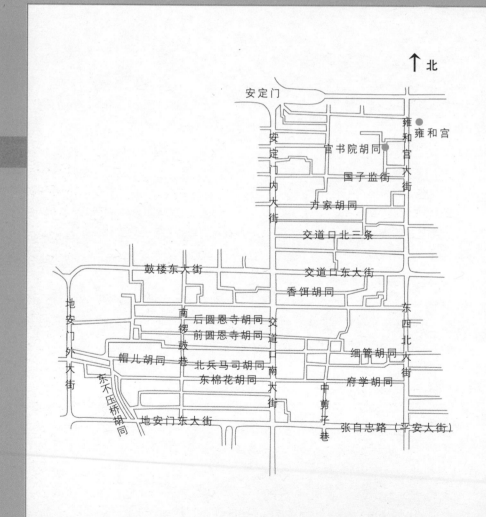

7 东城路线

关键地标: 南锣鼓巷

Maoer Hutong [Stop1]
帽儿胡同

末代皇后婉容故居　可园　南锣鼓巷酒吧休闲街

　　帽儿胡同东起南锣鼓巷，西至地安门外大街。明朝时称为梓潼庙文昌宫，清朝时称为帽儿胡同。

　　文昌宫是供奉文昌帝的地方，文昌帝即文曲星，是神话传说中掌管文运的神仙。现在，文昌宫的基址上是帽儿胡同小学。

　　帽儿胡同的9号和11号是可园，建成于清咸丰十一年(1861)，是京城最富代表性的私家园林之一。35号和37号是末代皇后婉容故居。

　　帽儿胡同附近的南锣鼓巷近来已成为胡同观光的热点区域。胡同里有很多家风格各异的酒吧和小店，其中过客酒吧、红人坊酒吧、文宇奶酪店非常有名。

推荐等级：
★★★★★

交通便利程度：
★★★★

乘车路线：
　　乘104快车、104、108路公共汽车至交道口站下

小贴士

　　婉容(1906—1946)，1906年出生于内务府大臣荣源府内。1922年，已满17岁的婉容因其容貌端庄秀美、清新脱俗，且琴棋书画无所不通而在贵族中闻名遐迩。同年，被选入宫，成为清朝最后一位皇后。

Stop2 Dong buyaqiao Hutong

詹天佑故居

东不压桥胡同

推荐等级:
★★★★

交通便利程度:
★★★★

乘车路线:
乘107、124路公共汽车至地安门站下

东不压桥胡同因有东不压桥而得名。东不压桥过去称为布粮桥，桥为东西走向，位于今天平安大街中段地安门路口东侧，东不压桥胡同南口西侧。东不压桥胡同原称马尾巴斜街、马尾胡同，是一条依河道而形成的街巷。

胡同的大宅院还是比较多的，据说28号院是詹天佑曾经居住过的住宅。院子很大，非常气派，里面垂花门，亭廊俱全，虽然已经完全成了普通民居，但豪华壮观的气质仍然隐约可见。

东不压桥胡同在地安门以东，很曲折，一端已经在平安大街上，朴素的人家与往来的车辆之间只相隔了短短数米，却又是两种不同的味道，颇让人感慨。

小贴士

詹天佑(1861—1919)，广州南海人。他是清朝政府首批选派出国留洋的幼童之一，于1881年从耶鲁大学毕业，奉召回国。1888年，进入了中国铁路公司。1905年，清朝政府决定修建京张铁路，詹天佑成为总工程师。今天，青龙桥已经成为中国铁路的一个标志，詹天佑的塑像也立在那里，注目着历史的进程。

Fuxue Stop3 Hutong 府学胡同

文天祥祠 段祺瑞执政府

小贴士

文天祥(1236—1283),吉州庐陵(今江西吉安)人。南宋末年,国事危急,文天祥被任命为右丞相兼枢密使,被朝廷派去和元军议和,他不辱国体,慷慨陈词,后被元军扣押,解送北方,行至镇江处得以逃脱,历尽艰险才获南归。在出使元营,逃归福建过程中,文天祥所写的诗,被命名为《指南录》。后来,文天祥兵败被俘,押到大都(北京)后,元世祖忽必烈曾以宰相高位作为劝降条件,但文天祥不为所动,最后慷慨就义。

推荐等级:

★★★★★

交通便利程度:

★★★★

乘车路线:

乘116、807路公共汽车至十二条站下

府学胡同东起东四北大街,西至交道口南大街。因胡同中过去有顺天府学而得名。顺天府学为明清两代学子学习考试的地方。

靠近胡同西口的地方,依次是文天祥祠和顺天府学,文天祥祠相传是当年蒙古侵略者关押文天祥的地方,文天祥就义百多年后,后人为纪念他,在这里建立祠堂以示怀念。

由府学胡同东口南侧直到平安大街的很大一片地方,就是过去的段祺瑞执政府,执政府门前巨大的影壁还在,只不过已为马路相隔。"三一八"惨案的历史永远将这片地方印在了中国人的头脑里。段祺瑞执政府旧址现在是人民大学的书刊资料中心。

Former Residence Of Stop4

后圆恩寺胡同
茅盾故居 Maodun

后圆恩寺胡同在交道口南大街路西。元朝时，胡同里曾建有圆恩寺，现在已经不存。后圆恩寺胡同由于在过去的圆恩寺之后，故而得名。胡同西部比较狭窄，而东部则比较宽阔，7号院是一座保存完好的四合院，院内既有传统中式建筑，也有西洋风格的亭楼，中西合璧，非常壮观。在这个院子的前方不远，是茅盾先生的故居。茅盾故居是一座两进四合院，院落低矮，建筑格局朴实无华。茅盾一生的最后几年就是在这里度过的。1985年辟为茅盾故居纪念馆正式对外开放。

小贴士

茅盾（1896—1981），原名沈雁冰，浙江省桐乡县乌镇人。1921年，茅盾发起并成立了文学研究会，同年，他还担任了《小说月报》主编。1932年，他完成了著名长篇小说《子夜》的写作，这部小说以作者深刻的观察和亲历而成为中国现代文学史上一部杰出的现实主义作品。抗日战争时期，茅盾经西北到延安参观讲学之后写下的《风景谈》和《白杨礼赞》，更是成为现代散文中脍炙人口的名篇。

推荐等级：
★★★★

交通便利程度：
★★★★

乘车路线
乘104快车、104、108路公共汽车至交道口站下

Stop5 **Guozi jian**

国子监

从安定门往南不远，有一条很古老的国子监街；4座完整的过街牌楼，金碧辉煌，至今还耸立在这条不算太宽的街上，远远的就能看见牌楼上那三个斗大的金字"国子监"。"国子监"相当于今天的大学，紧邻着孔庙，是元、明、清三代的国家最高学府。在国子监里，校长叫"祭酒"，教务长叫"司业"，学生叫"监生"，毕业证叫"监照"。

进入学府院内太学门，即可见到一座气势很大的琉璃牌坊，南面的题字是"圜桥教泽"，北面的题字是"学海节观"。正厅彝伦堂，是监生们会讲的大礼堂，皇帝来国子监讲学时在这里设座。东西两廊各有房33间，设监内六堂，东为率性、诚心、崇智，西为修道、正义、广业，是监生课堂。东西两面还有四厅：东为典簿、绳愆，西为典籍、博内。国子监中心的建筑，叫辟雍。辟雍，"天子之学"的意思。

推荐等级：

★★★★★

交通便利程度：

★★★★

乘车路线：

　乘104快车、104、108路公共汽车至安定门站下

官书院胡同 Hutong
Guanshuyuan

官书院胡同紧邻国子监街，位于孔庙东墙之下。过去这里曾有御书楼，据说官书院的得名也和此有关。胡同幽静，韵味独特，值得一逛。

推荐等级：
★★★

交通便利程度：
★★★★

乘车路线：
乘104快车、104、108路公共汽车至安定门站下

Stop7 Temple
Lama 雍和宫

北一京
逛街地图
WALKING
IN BEIJING

推荐等级：
★★★★★

交通便利程度：
★★★★

乘车路线：
乘116、807路公共汽车至雍和宫站下

雍和宫原是雍正皇帝登基前的"雍王府"，雍正登基后，迁居紫禁城，"雍王府"改为皇帝的行宫，更名"雍和宫"。1744年，乾隆皇帝决定将雍和宫的中路全部正院和两路跨院改为喇嘛寺庙。自此，雍和宫成为京城一处藏传佛教胜地。

雍和宫位于二环雍和宫桥东南角，清晨时分，雍和宫红色的门扉、廊柱、黄琉璃的屋宇、金碧辉煌的嵌金彩画，都沐浴在朝阳的光辉中，那场景只有故宫的午门和角楼可与之媲美。

如今的北新桥大街已经拓宽了马路，以前马路两边浓浓的树荫没有了，只有街边贩卖香火的小贩仍然如故。阳光洒在层层叠叠殿宇的屋顶上，日复一日，庙里的人，路过的人，也是一代又一代。

Stop8

Former Residence Of
细管胡同
田汉故居 Tianhan

推荐等级：
★★★

交通便利程度：
★★★★

乘车路线：
乘104快车、104、108路
公共汽车至交道口站下

细管胡同约形成于明代，清朝时称为细罐胡同，1949年以后改为细管胡同。

田汉故居在细管胡同东口9号，是一座两进四合院，原为旧官吏的宅邸。大红金柱门，讲究的抱鼓形门礅，庄重而沉稳。上个世纪五六十年代，田汉在这里度过了他的戏剧创作高峰期，为后人留下了宝贵的财富。驻足于田汉故居前，看到路过此的行人，在发现了故居的标志以后，总会停下脚步仔细观察一番，所有的一切定格在那里，纪念尽于不言中。

小贴士

田汉（1898—1968），湖南长沙人。1921年与郭沫若等人组织创造社，倡导新文学。1930年，发起并参加了中国左翼作家联盟。田汉是《义勇军进行曲》的词作者，这首伴随了中华民族抗日和解放斗争的不朽诗篇，传唱于大江南北，无论是当年的大后方还是抗战的最前沿，都留下过他激昂的旋律。建国以后，《义勇军进行曲》被定为代国歌，1982年正式确定为国歌。

Former Residence
Of Tianhan

Former Residence Of
Stop9
Bingxin 冰心故居
中剪子巷

小贴士

冰心，原名谢婉莹，1900年出生于福州。辛亥革命以后，随全家来到北京。1914年，她考入北京贝满女中，即今天的北京166中学，在学习期间，对理科充满兴趣；1918年，升入协和女子大学理预科。五四运动爆发以后，她开始在《晨报》上连载文章，其后发表了不少问题小说，冰心这个笔名也由此诞生。1923年，冰心以优异成绩从燕京大学毕业，前往美国留学，在赴美途中和在美国留学期间，她写下了著名的通讯《寄小读者》。1926年回国以后，任教于燕京大学。

推荐等级：
★★★

交通便利程度：
★★★★

乘车路线：
乘104快车、104、108路公共汽车至交道口站下

中剪子巷在繁华的平安大街路北，相传胡同过去有很多家经营剪刀、车马配件的铁器店，胡同便是因此得名。胡同不是很长，院落也不是很多，整体显得很质朴，没有什么大宅门，即便是如意门也不多见。中剪子巷和北剪子巷一样，都是朴实的，里面融合了很多生活的元素，美丽蕴含在寻常景物之中。

冰心先生曾经在中剪子巷生活了十年，并创作了组诗《繁星》。冰心晚年回忆："只有住着我的父母和弟弟们的中剪子巷才是我灵魂深处永久的家。"

Dong mianhua 东棉花胡同

Stop10

Hutong

北京逛街地图 WALKING IN BEIJING

推荐等级:
★★★

交通便利程度:
★★★★

乘车路线:
乘104快车、104、108路
公共汽车至交道口站下

　　这条胡同有两个知名之处,其一是著名的中央戏剧学院就在胡同里,其二是胡同里有一个非常精美的砖雕门楼,这样的门楼在北京可是唯一的。门楼隐藏在一个普通的院落里面。

北京逛街之三城记

东城富西城贵南城市民气之

东城情结

白领的逛街根据地

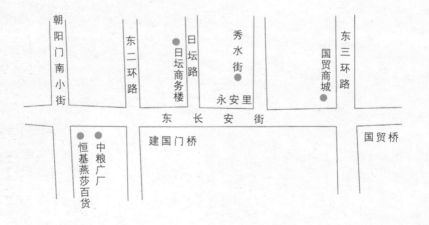

8 东城路线

关键地标：东长安街、建外、国贸

World 国贸
Trade Center

Stop1

北一京
逛街地图
WALKING
IN BEIJING

小贴士

在国贸地区有不少美味的饭馆餐厅，像国贸商城内的金湖茶餐厅就是一家很不错的港式茶餐厅，在这里吃饭你可以有各种各样的选择，比一般快餐丰富可口，又没有正餐那么严谨。在国贸地区，川味的皇城老妈火锅是杰出代表，与一般四川火锅的平民化相比，皇城老妈走的是高档火锅路线，环境和菜品档次都非常讲究，生意也很火爆。

地址：

朝阳区建国门外大街1号国贸商城

推荐等级：

★★★★

交通便利程度：

★★★★

乘车路线：

乘坐1、4、9、37、28、728、729、808、810、859路公共汽车至大北窑站下

国际贸易中心是北京长安街上的一处标志性建筑，国贸范围内的中国大饭店、国贸饭店以及国贸写字楼更被看作是北京CBD商业的突出象征。未来几年，新建的中央电视台、北京电视台等国内强势媒体也会聚集在国贸周围。

国贸商城也是京城顶级商城之一，这里引进了众多世界名牌专卖店，配套商业设施还包括中西餐饮、娱乐健身、礼品玩具、邮政快递、银行等，并和地铁国贸站直接相接。在国贸商城里还有一处由加拿大引进全套制冷设备的国贸溜冰场，这也是北京第一家商厦室内水冰场。

World
Trade 国贸
Center

Beijing 中粮广场
COFCO Plaza

Stop2

以中粮广场为中心的"建国门商圈"，是深受北京时尚白领一族和成功人士青睐的高档购物休闲区。中粮广场是北京时尚一族淘宝购物的热门地点，这里的购物环境相当不错，商品也绝对有个性、够时尚，赶在节假日打折的时候，来这里肆无忌惮地逛上一天，收获一定不会少。

中粮广场C座的"新浪漫主义"经营的全是意大利品牌服饰，店铺内处处洋溢着意大利风情。雕花的古典柜台、桌椅、古镜均来自意大利，主人的收藏品也点缀其中，一台微型的缝纫机，一打听已有200多年的历史了。一旁的"蓝爱"皮草店，经营的产品是欧美、日韩市场的主流，店内每款商品限量1到2件，价格也是从千元至数千元不等。

中粮广场内的居家装饰品更是个性十足。一层波希米亚的水晶玻璃饰品璀璨夺目，带来的是梦幻色彩，二层晨曦雨林玻璃艺术设计工作室突显的是"量身定做，独一无二"的优势。还有一间主营印度丝艺专卖店铺，里面的真丝绒披肩及各种纯手工靠垫做工精致。

购物之余，不妨去逛逛中粮广场地下一层的美食地带。这里的寿福城是一家颇有特色的韩国餐厅。每个餐桌都配有专门的烧烤炉，所有烤炉都是从韩国进口。西蜀豆花庄古色古香的装修、精致的蜀风蜀味，吸引了不少人前往。

中粮广场里除了可以购物、享受美食之外，还设有健身房、咖啡厅、美容院、书屋等，就算是一整天泡在这里也不会觉得闷，无论你是追逐时尚的年轻人，还是讲求生活质量的精英一族，中粮广场一定不会让你失望。

地址：
东城区建国门内大街8号

推荐等级：
★★★★

交通便利程度：
★★★★

乘车路线：
乘坐1、4、728路公共汽车至北京站口站下

123

Stop3
Beijing Hengji
恒基燕莎百货Center

北京逛街地图
WALKING IN BEIJING

地址：
东城区建国门内大街18号

推荐等级：
★★★★

交通便利程度：
★★★★★

乘车路线：
乘坐1、4、728路公共汽车至北京站口站下.

恒基燕莎百货东邻中粮广场，南邻北京火车站。商品以中高档为主，既满足白领们的需求，又为旅客们服务。

说到恒基，很多人还会自然而然地联想到北京最高档的家居广场——恒基中心美庭品位家居广场。在这3万平米的经营场地里，汇聚着60多个国内外著名家居商，无论是意大利古典皇室家具SILIK，还是法国蒙娜丽莎MONALISA，或者是米兰大师MELANDAS，都是当今国际国内市场上的顶级家居品牌。这里既有奢华昂贵的顶级宫廷家具，也有做工精良但价格适中的国产家具品牌。浪漫典雅、温馨舒适的购物环境，彰显艺术与文化个性的家居展示，难怪有人把这里称为京城高雅人士的居家购物天堂。

Beijing 赛特购物中心
Scitech Plaza

Stop4

赛特购物中心以经营国内外高档名牌商品和时尚精品为主要特色，这里的购物环境相当舒适宜人，自1992 年底开业以来，这里就是北京最为著名的高档商场之 。

赛特购物经营的商品可以用"名店名品"来形容，这里吸引了众多国际著名品牌，同时也吸引了京城众多的高端时尚人上。赛特购物中心的化妆品专柜在北京算得上是最齐全的，一些在北京其他地方比较难买到的牌子往往都能在这里找到，因此赛特也特别受到女性顾客们的青睐。作为一家老牌的高档卖场，赛特购物中心在北京人心目中一直占有重要的地位，每到节假日，这里总能看到熙熙攘攘的人流。

地址：
朝阳区建国门外大街22号

推荐等级：
★★★★

交通便利程度：
★★★★★

乘车路线：
乘坐1、4、728、120、9路公共汽车至日坛路站下

Stop5
Silk Street 秀水街

北京逛街地图 WALKING IN BEIJING

地址：
朝阳区秀水东街8号

推荐等级：
★★★★★

交通便利程度：
★★★★★

乘车路线：
乘1、4、9、28、37、728、729、802、808、848路公共汽车至永安里站下

小贴士

秀水街服装的价格一般是大商场的1/2左右，但据老客传授的秘笈，在这里可以将标价的1/3定为目标价位。当然，这其中就有些语言技巧了，而且要随机应变。看到独份儿的买卖而自己又十分可心，那么还是该出手时快出手。

北京使馆区附近的秀水街是世界知名的特色市场，在众多外国游客眼中，它是与长城、故宫、北京烤鸭齐名的必游之地。

秀水街是改革开放后北京诞生的闻名海内外的商品市场之一，主要经营具有旅游文化特色的外贸服装，丝绸制品，旅游纪念品等。20多年前，一群商人在北京秀水东街支起了简单的铺面，利用这里毗邻使馆区的优越位置，经营丝绸和外贸服装。从此，秀水街的名声不胫而走，光顾、垂青的人也越来越多，渐渐成为老外来北京必看的一道风景。

2005年，改建一新的"新秀水"大厦正式开业。海内外顾客在这里，不仅能买到中国传统的丝绸制品和精致的手工艺品，还能买到各种外国名牌商品。

如今的"新秀水"被誉为长安街上的"国际新地标"，法国前总统希拉克、美国前国务卿贝克夫人、国际巨星巩俐等名人和明星们都曾冲着"秀水"这块招牌，以普通顾客的身份流连忘返。

走进秀水市场，英语"hello"之声此起彼伏，商户们熟练地用英语同外籍消费者讨价还价，确认商品的颜色和尺码，环顾周围，也是白皮肤蓝眼睛黄头发的欧洲国际友人居多。在秀水市场，侃价是购物的乐趣所在，花最少的钱，买到最新潮时尚的商品，当是在这里逛街最美的享受。

Ritan 日坛商务楼
Business Building

Stop6

地址：

朝阳区光华路甲15号

推荐等级：

★★★★

交通便利程度：

★★★★★

乘车路线：

乘车路线：乘坐1、4、120、9路公共汽车至日坛路站下

　　从建外大街友谊商店路口一直向南走，在日坛公园南门东面50米处，能看到一座古朴而典雅的小型中式仿古建筑，这就是被许多女孩广泛传播着的逛街宝地——日坛商务楼。从外观来看，你一点也想不到它会是一个汇集时尚潮流的所在，但就是在这个古典小楼里，三十余家各具特色的时装贸易公司用自己别具韵味的商品，吸引了众多境外游客、使馆工作人员、白领、时尚人士来此"寻宝淘金"。

　　日坛商务楼里的"德勤利丝语"服装屋，出售的都是考究的外贸极品女装，不少款式都是出自有名的设计师之手，但价格要比许多大牌专营店中的产品便宜许多。这里的棉织小上衣不但做工精细件件精彩，长裙、裤衫用料也极其讲究，款式更是走在极尽时尚和浪漫的前沿。日坛商务楼的时尚丝巾公司也是这里非常出名的一家小店，这里的围巾不但新颖、工艺精湛，而且都充满着时尚的设计感。除了有搭配无袖衫和吊带裙的真丝、手绘手绣丝巾外，这里还有配合毛衣、衬衫、职业装和长大衣的羊绒披肩、丝绒长巾、貂獭绒围巾等。这家小店以每10天、半个月就来一批新货的频率上货，每个花色也许只有一两件，也正因如此，在这儿买的围巾在全北京都几乎是绝版。喜欢绚丽装扮的少男少女也一定能在日坛商务楼里找到心仪的服装，在这里有好几家小店，满目衣服都是让人惊喜的鲜亮色调，正红、粉红、米黄、宝蓝应有尽有。再细看款式细节，几乎件件都有动人的设计在其中，小店所代理的Lecomte、Reve Derly还都是法国和意大利的品牌。

　　日坛商务楼购物环境非常优雅，还紧邻著名的秀水街、三里屯，来这里探寻价廉物美的宝贝，不但方便舒适，还能切身感受一回国际最新的时尚潮流。

北京逛街之三城记
东城富西城贵南城市民气之
东城情结

时尚先锋引领者

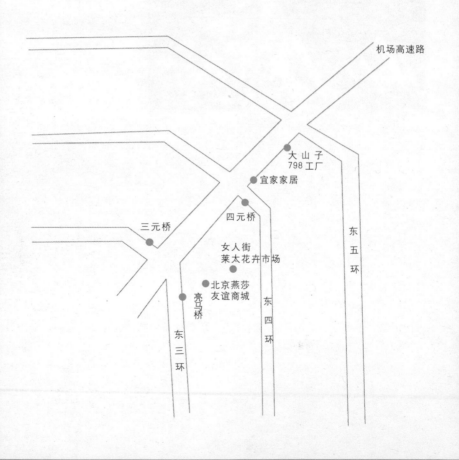

↑北

机场高速路

大山子
798工厂

宜家家居

四元桥

三元桥

女人街
莱太花卉市场

北京燕莎
友谊商城

亮马桥

东五环

东四环

东三环

9 东城路线

关键地标：燕莎

Walking In Lufthansa

逛燕莎商圈

在今天的北京城，豪华商城遍地开花，可在北京人心里，"购物去燕莎"被赋予了购物之外彰显身份品位以及追逐高档优雅生活的特殊意义。与时装店铺张扬的时尚相比，燕莎商圈的时尚更多的来自它历久弥醇的涉外历史。

现在，在北京CBD叱咤风云的燕莎商圈是指以燕莎的国际化气息为号召力、以燕莎友谊商城为标志的一片区域，它被环绕在一片西起工体，东至朝阳公园，北迄莱太花卉市场，南至CBD区域，覆盖麦子店、左家庄、三里屯、呼家楼等街道的全新时尚街区之中，它的面孔，透过历史和空间的盖头，展露迷人的国际风情。

燕莎商圈的高档化并没有使她在人们的生活中高不可攀。更多的北京人从容生活在别处，却依然乐于来此流连。这里的文化、品位，以及所倡导的生活方式，无不在表达一种国际化的观念和生活态度，而这些与北京人的生活也产生了历久不衰的震撼与共鸣。在北京人眼里，燕莎这个区域避开了城市中心的喧闹，却有着城市中心才有的便利，来这里逛街，既是一种难得的时尚体验，又是一种沁透着都市新文化的独特享受。

北京燕莎友谊商城
Beijing Lufthansa Center Stop1

地址：
朝阳区亮马桥路52号

推荐等级：
★★★★★

交通便利程度：
★★★★★

乘车路线：
乘坐416、707、749、801、725、718路公共汽车至燕莎桥南站下

大名鼎鼎的北京燕莎友谊商城在20世纪90年代开业时，就成为了中国人了解国外的一大窗口。整座燕莎商城由德国建筑师设计，周边的商业区也是随着德国使馆的落户逐渐兴起。

在以高档著称的燕莎友谊商城中，国际著名品牌的商品达500余种，几乎国内所有驰名商标的精品都在燕莎占有一席之地。倘徉在幽雅、宽敞的购物环境中，舒心、畅快的心情也会油然而生。

Stop2
Laitai Flower 莱太花卉市场 Market

莱太花卉市场是北京独具特色的一条"花卉商街"，宽广的大厅和近百个店铺都专门经营鲜花和与花卉相关的业务。莱太花卉市场是花的世界，人在这里似乎也只是配角，如果你已逛烦了商场，又嫌郊游路远，不妨到莱太花街找找别样的感觉，闻着百花散出的怡人香气，欣赏着来自世界各地的特色家居工艺饰品，偶尔再淘换出一两件"宝贝"捧回家，这样的购物逛街倒也浪漫惬意。

这些鲜花店里的插花艺术绝对是一流的，不仅插花品种齐全得别处无法相比，而且每家花店里还有花艺师根据顾客需要现场设计。除了那占了花街近一半的鲜花店内百花争艳，其余的店铺也与鲜花有着一份仙缘。

地址：
朝阳区麦子店西路9号

推荐等级：
★★★★

交通便利程度：
★★★

乘车路线：
乘运通104、416、405、421路公共汽车至麦子店西街站下，或乘659、特3路公共汽车至莱太花卉站下

女人街
Women's
Stop3 street

"女人街"地处东三环边燕莎东侧，这里汇集了三里屯、白云市场和老秀水市场拆迁后的老业主，经营品种涵盖了服装、百货、鞋帽等万余种商品，主要以外贸、广货、韩货及港台地区产品为主，是目前北京规模最大的服装市场。同时，顾名思义，"女人街"又是北京第一家专卖女性商品的市场，女性服装、服饰、鞋帽、箱包是这里的绝对主角。

值得一提的是，"女人街"临近莱太花卉市场，来这里买花的也大多是女性，借着花卉市场的名气和吸引力，"女人街"赚得了不少人气。

地址：
朝阳区麦子店西路9号

推荐等级：
★★★

交通便利程度：
★★★

乘车路线：
乘运通104、416、405、421路公共汽车至麦子店西街站下，或乘659、特3路公共汽车至莱太花卉站下

798 Factory

Stop4 **798 工厂**

梦想是否可以在工厂里生产？艺术是否可以诞生在车间？在798工厂，你可以找到这两个问题的独特答案。

位于北京东郊大山子的798工厂，又名国营北京第三无线电器材厂，原是新中国成立初期由苏联援建、原民主德国工程师设计建造的现代工业基地，如今却成为了众多艺术家聚集的一块"新艺术空间"。

20世纪90年代以来，随着中国经济体制改革的深入和市场需求的变化，当年的798工厂每况愈下，正当厂方为大量空置的厂房犯愁的时候，这里便利的交通，低廉的租金，闲置的厂房以及特殊年代遗留下来的历史文化情调，引起了一大批艺术工作者的关注。于是，从1995年中央美术学院搬迁到大山子起，学生和艺术家们便开始租用这闲置的厂房来营造属于他们的艺术天地。

其实，798工厂本身就是一段历史，一件珍贵的艺术品。工厂的建筑被学者认定带有鲜明的包豪斯艺术特征——单向抛物线薄壳屋面，梁柱承接建筑重量，净空高、透光好、造型美、省材料，实用性中透露出艺术性。同时，这些厂房建筑还见证了中国工业一段

地址：
　　朝阳区酒仙桥路4号大山子798

推荐等级：
　　★★★★★

交通便利程度：
　　★★★

乘车路线：
　　乘公交401、405、420、909、955、991、988、小30路公共汽车至大山子站下

辉煌的历史，留在墙上的那些包括"文革"时期的标语和壁画，经过40多年的风雨，更显出逼人的历史感。

如今，798工厂方圆1平方公里约有100多家文化机构，包括出版、建筑设计、服装设计、室内家居设计、音乐演出、影视播放、艺术家工作室等。除了画廊，还有酒吧、餐馆、服装店、书店、瑜珈中心……应有尽有。陆续开办起的艺术家工作室以及其他相继涌入的机构已经彻底改变了这个厂区的环境气质，时尚小资、前卫青年、外国文化掮客使这个有些破旧沧桑的工厂顿时变成了北京最活跃的时髦地带。当2003年这里发起大型活动"再造798"时，各家艺术机构争相在自己的空间内办展览，吸引了两三千人前来参观，规模空前。2004年，全球画廊嘉年华也选择落户于此……

798工厂为传统的京城注入了现代艺术的活力，传统与现代、现实与梦幻、工业与艺术在这里不可思议地冲突而又融和着。现在，这个"比现实更近，比梦更远"的798工厂已经成为了京城里继三里屯和后海之后最值得一游的"艺术地带"。

798 Factory

← 北

东直门桥

东兴楼 ●　　● 乔乔居
海鲜排挡 ●　　● 通乐饭馆
福惠龙东直门羊蝎子 ●　　● 天一阁
金利轩 ●

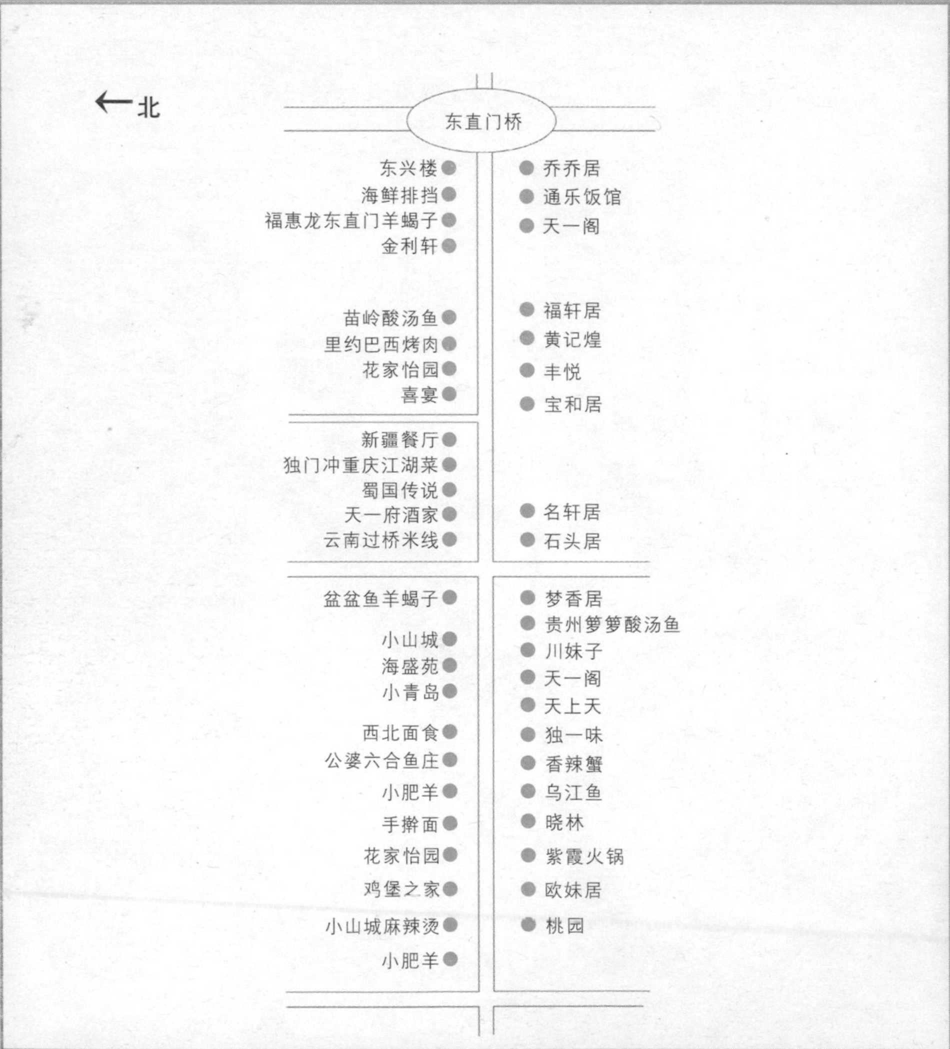

苗岭酸汤鱼 ●　　● 福轩居
里约巴西烤肉 ●　　● 黄记煌
花家怡园 ●　　● 丰悦
喜宴 ●　　● 宝和居

新疆餐厅 ●
独门冲重庆江湖菜 ●
蜀国传说 ●
天一府酒家 ●　　● 名轩居
云南过桥米线 ●　　● 石头居

盆盆鱼羊蝎子 ●　　● 梦香居
　　　　　　　　　● 贵州箩箩酸汤鱼
小山城 ●　　● 川妹子
海盛苑 ●　　● 天一阁
小青岛 ●　　● 天上天
西北面食 ●　　● 独一味
公婆六合鱼庄 ●　　● 香辣蟹
小肥羊 ●　　● 乌江鱼
手擀面 ●　　● 晓林
花家怡园 ●　　● 紫霞火锅
鸡堡之家 ●　　● 欧妹居
小山城麻辣烫 ●　　● 桃园
小肥羊 ●

10 东城路线
关键地标：簋街

簋街 Street Ghost

簋街，是北京老百姓对东城区东直门内餐饮一条街的称呼，东起二环路东直门立交桥西端，西到交道口东大街东端。

至于簋街名字的由来，据说是来自老北京的"鬼市"。早年北京那些以贩卖杂货菜果为主的集市，后半夜开市，黎明即散，摊主以煤油灯取亮，远处看上去灯影闪烁，故名"鬼市"。还有一种说法是东直门内大街餐厅生意红火，由于来此宵夜的出租车司机众多，大部分门脸都一直开到凌晨三四点左右乃至通宵，因此这里又被人称作"鬼市"。后来政府把这里命名为"东直门内餐饮一条街"，还修了酒杯的铜雕塑，就用上了有点文言的"簋"字。

说到簋街，人们最先想到的就是"麻小儿"，这是簋街的招牌和特色菜。"麻小儿"全称麻辣小龙虾，用大量花椒和辣椒炒出来的小龙虾，颜色鲜红，味道香辣。小龙虾学名"虫刺蛄"或"螯虾"，南方人几乎不吃的"小龙虾"，到了北京却大受宠爱。除了"麻小儿"，香辣蟹、羊蝎子、红焖羊肉等，都是簋街率先创出的特色菜。有人说这儿已成了京城餐饮业的"晴雨表"，如果什么风味能先在这条街火起来，再往其他地方发展就容易多了。

这里价格实惠。在北京生活工作的人都有自己的圈子，有同事朋友，又有生意上的伙伴，应酬很多，如若都到一些档次很高的馆子，既不随意，又不经济。叫上三五个朋友到簋街去，来七八瓶啤酒，再来百十只小龙虾，百把块钱就轻松搞定，爽而不腻，好吃不贵。

这里是情感的发源地。刚刚结识的朋友或者刚刚相处的对象，到了这里，都会情不自禁地同你、同整个簋街的食客融入到一起：高挽衣袖，双手抢虾，大声说话，不顾斯文扫地，一下子缩短了彼此的距离，不再显得那么生分。

这里也最能代表北京夜生活的特点。忙乎了一天，还有一个不打烊的地方让你惦念，这在天气冷、风沙大的北京不多。而一连串的餐馆饭庄，囊括了川、鲁、粤、湘、火锅、烧烤等各种风味品种，更使得"鬼街"特点突出，个性鲜明，因而成了喜欢过夜生活的人常去的地方。

Little 小肥羊
Fat Sheep Stop1

您尝试过"不蘸小料"的涮羊肉吗？小肥羊就是这么一家独具特色的涮锅餐厅。

小肥羊在北京的名气很大，分店也很多。这里的火锅将延续了多年的蘸着小料涮羊肉食法，改革为"不蘸小料涮羊肉"的新吃法。火锅锅底料采用数十种上乘滋补调味品；羊肉精选来自纯天然、无污染的锡林郭勒大草原六月龄"乌珠穆沁羊"，这样涮出的羊肉就算不蘸小料也同样是鲜嫩适口、回味悠长。小肥羊的配菜也很新鲜，宽粉特别受欢迎，喜欢涮羊肉的朋友不妨来品尝品尝。

地址：
东城区东直门内大街209号

电话：
84001669

特色菜肴：
涮羊肉

人均消费：
50 元

环境：
★★★

推荐等级：
★★★

交通便利程度：
★★★★

乘车路线：
乘116、815路公共汽车至北新桥站下

Stop2

Hua jiayiyuan
花家怡园 Restaurant

地址：
东城区东直门内大街5号

电话：
84078288

特色菜肴：
麻小儿、八爷烤鸭、罐焖牛肉、福寿螺

人均消费：
65 元

环境：
★★★★

推荐等级：
★★★★★

交通便利程度：
★★★★

乘车路线：
乘116、815路公共汽车至北新桥站下

花家怡园自称卖的是"花家菜"，其实这里从燕窝鱼翅到麻小儿、韭菜盒子，各菜系的家常菜基本都有，所以不论您从哪儿来，花家怡园肯定都有对您胃口的菜品和小吃。

花家怡园的内部装修也很有特色，特别是簋街店，整个餐厅都是仿北京四合院的格局，在中堂和厢房吃饭，还会有帘幔遮着，很有旧时民居的感觉。您如果在玻璃窗下吃饭，还可以一边欣赏夜景一边品尝美味，相当有情调。花家怡园的生意非常好，常常有老外光顾。这里适合朋友一起吃饭，也适合家庭聚餐，价格合理又能吃得很舒心。到了晚上，这里还有乐器表演，坐在四合院里吃饭听曲真是不错的享受。

Guizhou **Fish** Stop3
Restaurant 贵州箩箩酸汤鱼

这两年，酸汤鱼火锅在京城渐渐流行，这家贵州箩箩酸汤鱼尤为受欢迎。酸汤鱼是这里的招牌，绝对地道的贵州做法，口味辣中带酸，但同时又保持了鱼的原味。汤料特别可口，喜欢酸味的朋友一定会胃口大开。这里特制的贵州辣酱小料也很有特色，有微辣、中辣、特辣三种口味任您选择，吃起来够辣也够香。除了酸汤鱼，这里的贵州菜也很正宗，您不妨来尝尝。

地址：
东城区东直门内大街186号

电话：
64051717

特色菜肴：
酸汤鱼

人均消费：
50元

环境：
★★★

推荐等级：
★★★★

交通便利程度：
★★★

乘车路线：
乘116、815路公共汽车至北新桥站下

Restaurant
Guizhou Fish
贵州箩箩酸汤鱼

北京逛街之三城记
东城富西城贵南城市民气之
西城情结

什刹海之滨的京味儿

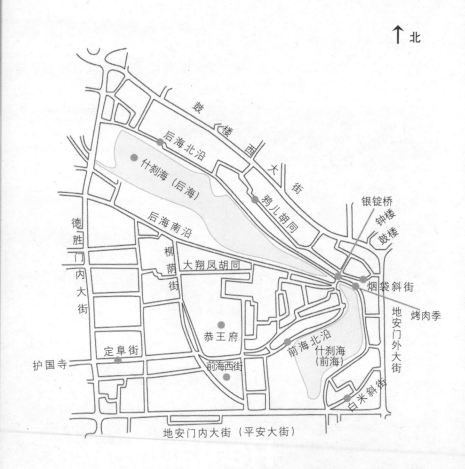

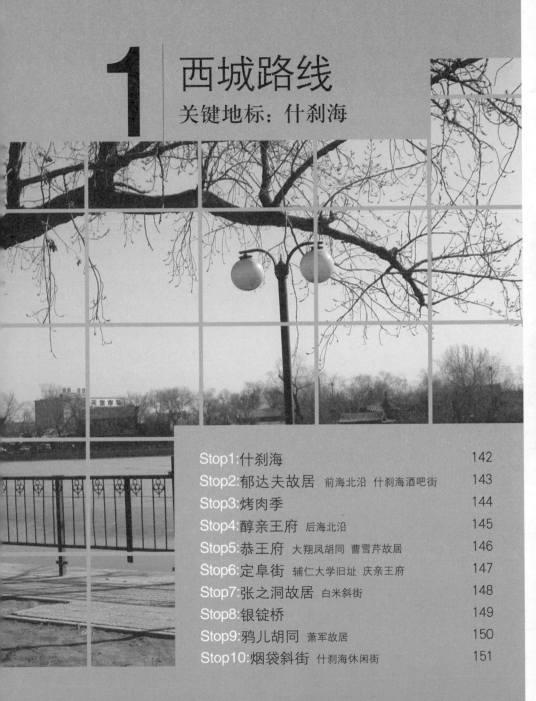

1 西城路线

关键地标：什刹海

Stop1

Shichahai 什刹海

推荐等级:
★★★★★

交通便利程度:
★★★★

乘车路线:
乘107、124、815路公共汽车至鼓楼站下

　　什刹海由前海、后海、西海组成，一水相连，波光碧影，古味悠扬。由于位于中南海及北海之北，所以又被称为"后三海"，其中，西海也叫作积水潭。

　　什刹海是北京唯一一处集自然风光、人文历史、市井文化、传统民俗于一体的旅游胜地，也是古都北京一处没有围墙的公园。

　　自古以来，什刹海就广聚名流雅士，将湖光山色的美和浓厚的历史传说结合在一起，演绎出了一首首动人的抒情和哲理诗。

　　金代，北京开始了自己的都市岁月，在那以前，什刹海是古高梁河上一片相连的湖泊，后来，河水改道，这里便形成了近乎沼泽的野趣风光。金王朝的统治者正是看中了这片湖光山色的美丽，才在这里建筑了规模宏大的离宫，成为除宫殿外最奢华的皇家场所。及至元代，这里更成了皇家统治的中心，当时的城市建筑设计者以金朝的太宁宫主体琼华岛为核心把宫殿建于湖的两岸，从而构成了皇城。这样一来，这片水域就成了皇城的一部分，被改为"太液池"，而其北部就是今天的什刹海。当时什刹海被叫作"海子"，是南北大运河漕运的终点。

　　由于当时这里是大运河的终点，因而周围集聚了很多店铺商家，一时间茶楼酒肆云集，城市异常繁荣。作为元大都城的核心，什刹海的风韵也被意大利人马可·波罗写在了那部著名的长篇巨著当中。

　　到了明清时期，由于大运河水道的堵塞，什刹海地区逐渐失去了经济和商业的意义，许多王公贵族纷纷在这里修建王府寺庙、园林别墅，而附近的老百姓也不甘落寞，竞相在这里修建自己的住宅，慢慢的，随着光阴的流逝，什刹海便凝聚了人文和淳朴的幽雅之风。

什刹海酒吧街 Stop2

Former Residence Of
前海北沿
Yudafu 郁达夫故居

前海北沿在银锭桥之东，什刹海前海南岸，是一条依湖而成的街道。这一段路上，一边是什刹海特色的杨树，另一边则是高矮层叠的房屋。

这里的房屋多是普通的居民小院，墙垣门和如意门占了多数，建筑也都不高大，不过和海子旁边高大的杨树搭配起来，却又非常协调。不知道什么时候起，这里成了酒吧一条街，由前海北沿开始，一直延伸到后海之滨。

据说郁达夫曾住在什刹海之滨，具体的位置大概是今天的前海北沿 11 号院。院子紧邻着什刹海的北岸，岸边高大的杨树把院子笼罩起来，搭配上远处的湖心岛，实在是一幅恬适素美的图画。

小贴士

郁达夫(1895——1954)，浙江富阳人。1913年，随兄到日本留学，在此期间，接触了大量东西洋文学作品，开始了小说创作。1921年出版了中国新文学的第一部小说集《沉沦》。回国后，曾在北京大学任教，与鲁迅合编《奔流》，发起中国左翼作家联盟。抗战爆发后，远赴南洋，任《星洲日报》编辑等职。日本投降后，他于苏门答腊被秘密杀害。郁达夫一生中创作了大量作品，《钓台的春昼》、《故都的秋》等都是传世之作。

推荐等级：
★★★★★

交通便利程度：
★★★★

乘车路线：
乘823、701路公共汽车至北海后门站下

前海北沿　什刹海酒吧街
郁达夫故居
Former
Residence Of
Yudafu

北一京
逛街地图
WALKING
IN BEIJING

Stop3

Kaorouji 烤肉季
Restaurant

推荐等级:
★★★★★

交通便利程度:
★★★★

乘车路线:
乘107、124路公共汽车至鼓楼站下

在什刹海逛胡同，无论哪个季节，都能走出一番不同的滋味。出了金丝套胡同过银锭桥，向东不远就能看见烤肉季大大的招牌。烤肉季始创于1848年，创建人是北京通州回民季德彩。

烤肉季以烤羊肉名满京城，这里的羊肉来自"西口"羊的上腿和后腿两个部位。切羊肉的功夫也很讲究，不光是纯手工活儿，而且切下来，把肉片对着窗户看是要透明而且均匀的。羊肉先用调好的酱汁浸泡，再拿到炙子上去烤，烤出的羊肉入口没有膻味，调料的味道也没有盖住羊肉的醇香，咸淡适宜，非常可口。除了羊肉您还可以尝尝烤牛肉，缕缕的香菜点缀其上，煞是好看，光是看就已经很有食欲了，吃上一口更是回味无穷。点一盘烤肉再配一些自己喜欢的青菜，荤素搭配，不油不腻。

最好能坐在二楼的窗边，看着什刹海泛起的涟漪和岸边的街景，品着美味，醉在其中，悠然自得。

烤肉季背靠老北京胡同景区，又有什刹海酒吧街陪伴，在怀旧与现代的时空交错里，不由得让人浮想联翩。

Former Residence Of Tianjian

后海北沿

醇亲王府

小贴士

宋庆龄(1893—1981)，是伟大的爱国主义、民主主义、国际主义和共产主义战士，是一位举世闻名的二十世纪的伟大女性。曾任中央人民政府副主席、政协常务委员、全国妇联名誉主席、全国人大常委会副委员长、中华人民共和国副主席、被全国人大常委会授予中华人民共和国名誉主席称号。

推荐等级：
★★★

交通便利程度：
★★★

乘车路线：
乘815路公共汽车至甘水桥站下

后海北沿在银锭桥之西的什刹海后海北岸，依湖而成，岸边的人家也是凭湖而居，这里的四合院都很规整，大多不是那种气派的高屋阔院，但也都饱含韵味。从北沿西行，院落层层叠叠，每一座院子其实也都是幅风景画，位置的不同，让它们能从不同的角度融合了什刹海的古风古韵。

在后海北沿最西边，有一个向北而去的夹道，里面是一个很典型的胡同所在，两旁是普通的民家小院，在西端，有座如意门，那就是诗人田间的故居。

醇亲王府在后海北沿上，醇亲王府原为清初大学士明珠的府第，后因原醇亲王府为光绪出生地，依清制升为宫殿，故将此处赐予醇亲王作为新府，又称北府。王府坐北朝南，府址占地约80余亩，布局广阔，可分为两大部分，西部是王府花园，东部是王府本身。现在正院为国家宗教事务局的办公地点，西花园为原国家名誉主席宋庆龄故居。

Palace Of Princ 恭王府 Stop5
Gong

大翔凤胡同
曹雪芹故居

贴士

如果在北京城里说到王府，现在人们能想到的，第一个便是恭王府。

恭王府在西城区前海西街，是目前现存王府中规模最大、保护最好的一座。恭王府前身曾为乾隆时大学士和珅的宅第，和珅败后，府第被抄没，一进大门，便是和珅的"藏宝楼"。"藏宝楼"里有99间半屋子，之所以是99间半，是因为这个数字是故宫房间数字"9999间半"的尾数。楼里每间屋子的窗户形状都设计得不一样，据说是和珅为了区分哪间屋子藏什么宝贝而特别制作的。

后来，咸丰帝将之转赐其弟恭亲王奕䜣，便成为了恭王府。恭王府的建筑，可分为宅第和花园两部分。恭王府不仅宽大、建筑也是最高格制，既有中国江南园林风格，又有北方造园的艺术特色。恭王府及花园设计富丽堂皇，风景幽深秀丽，一向被传称为《红楼梦》中的荣国府及大观园的原型。

推荐等级：
★★★★★

交通便利程度：
★★★

乘车路线：
乘823、701路公共汽车至北海后门站下

在后海南沿上，有一个窄窄的巷口，从那里进去，就是大、小翔凤胡同。这两条胡同以前都是王府间的空隙和过道，所以旧称为大墙缝胡同，后来雅化为大翔凤胡同。有人考证说《红楼梦》里的宁、荣两个府第的原型就是大、小翔凤周围的恭王府和罗王府。

在大翔凤南北走向的一段里，只有几间不算大的院子，门楼也很普通，曹雪芹的故居就在这里的6号院。

Dingfu^{jie}
Stop6

定阜街 辅仁大学旧址 庆亲王府

定阜街在明朝时为定府大街，有明朝定国公府第，故而得名；民国年间，谐音为定阜大街；1949年以后称为定阜街。定阜街的东边路北，是辅仁大学旧址，一座中西合璧式的大楼，大门内绿树成荫。从正门穿过，便可以来到后花园，那里植有很多棵松柏，与古朴的回廊融在一起，韵味十足。

辅仁大学建于1927年，前身是英敛之和马相伯创立的辅仁社，英敛之是《大公报》的主要创办人，马相伯学识渊博，力主抗战，不惜变卖家产办学。二人受天主教会之托创办起了辅仁大学。辅仁大学聘请了著名爱国人士、教育学家、历史学家陈垣先生出任校长，学校当时分设文、理、教育三个学院。当时辅仁大学还办有附属中学，即今天的北京市第十三中学。

小贴士

庆亲王府在西城区定阜街3号。为清末再封庆亲王奕劻的王邸。庆王府当是在光绪十年(1884)晋封庆郡王后按王府规制改建，始称王府。府内分为五个大院，大小楼房近千间，建筑华丽，经两代庆亲王的不断扩建，成为北京城内豪华宏大的王府之一。从辅仁大学旧址到庆亲王府，大约五六分钟的路程。现在王府是军事管理区，因而只能在外面观望。

推荐等级：
★★★★★

交通便利程度：
★★★★

乘车路线：
乘22、47、726路公共汽车至护国寺站下

定阜街 庆亲王府
辅仁大学旧址
Dingfujie

Stop7 张之洞故居
Former Residence Of Zhangzhidong 白米斜街

推荐等级：
★★★★

交通便利程度：
★★★★

乘车路线：
乘107、124路公共汽车至地安门站下

白米斜街在明朝时就已经存在，相传过去胡同中有白米寺，所以得名。

胡同11号是张之洞故居。张之洞是洋务派代表人物，生于1837年，16岁中举，27岁中进士，继而进入仕途。1898年，他提出了"中学为体，西学为用"的洋务派主张。

百年后的今天，张之洞的故宅仍然屹立于什刹海之滨，苍老的雕栏，斑驳的门窗，注视着世间的沧桑和人世百态。腐朽的清王朝末年，历史环境造就出了张之洞的大局风范，却换不来真正的国之振兴，令人叹惜。

后来，著名哲学大师冯友兰先生也曾经住过这里，然而今天，无论是张之洞还是冯友兰，历史的痕迹已经淡化以至零星，只有建筑依然，虽然老迈，但却把往事凝结在了砖瓦木构之间。

Stop8 Yin·dingqiao 银锭桥

Yindingqiao 银锭桥

银锭桥胡同位于西城区东北部，北起后海南沿，南至南官房胡同，因胡同北端有银锭桥而得名。

银锭桥建于明代，整座桥酷似银锭，因而得名。"银锭观山"是燕京小八景中的一景，在晴日的银锭桥上总可以看到三三两两的游人凭桥远眺，西山清晰的轮廓在蓝天白云之下，美景朦朦，后海波光粼粼，两岸树影依稀，朴素悠扬。在桥的东边，是著名的烤肉季饭庄，每到中午或是晚上，这里常是座无虚席。酒吧里放着时尚的音乐，而远远的就是钟楼和鼓楼古色的面容，一群鸽子盘旋在古老的街市上空，底下是寻常百姓数百年的素朴民生。

推荐等级：
★★★★

交通便利程度：
★★★★

乘车路线
乘107、124路公共汽车至鼓楼站下

Stop9

萧军故居 Hutong
Yaer 鸦儿胡同

小贴士

　　萧军，原名刘鸿霖，生于1907年，辽宁省义县人。他年轻时曾当过兵，受喜好文学的朋友影响走上了文学道路。1935年，他出版了自己的代表作《八月的乡村》，鲁迅先生亲自作序并给予了很高的评价。

推荐等级：
★★★★

交通便利程度：
★★★★

乘车路线：
　　乘107、124路公共汽车至鼓楼站下

　　鸦儿胡同东部与烟袋斜街隔小石碑胡同相对。明朝时，称为广化寺街，由于胡同中有广化寺而得名。清朝时，称为鸭儿胡同，民国时期始称鸦儿胡同。据说是由于胡同临接后海北沿，是"沿儿"的音转。

　　胡同里面基本上都是普通的民宅，没有什么太大的宅院，胡同31号是广化寺旧址，清末曾经在此筹建京师图书馆，即今天国家图书馆前身。

　　鸦儿胡同6号是萧军故居，院子里有一座砖木结构的小楼，萧军曾经就住在这小楼的二层。萧军先生的很多文章末尾注明着"银锭桥西海北楼"，其实，海北楼就是他为自己书房的命名。

　　"文革"的时候，萧军的住房被占，他只能用一小块储物间来当自己的书房，那个小地方也就是被他戏称为"蜗蜗居"的所在。今天，我们亲临故居的时候，仍然能够在小楼的墙壁上看到一个月牙形的缺口，那据说是当年萧军为了通风挖的，里面便是"蜗蜗居"。

什刹海休闲街

Stop10 **Yan Xiejie dai**

烟袋斜街

烟袋斜街东起地安门外大街，西至小石碑胡同，胡同呈斜形走向。清朝初年，称为斜街。后来，斜街之上有了很多经营烟具的店铺，这些店铺大多在门口悬挂烟袋以招徕顾客，久而久之，胡同便被叫作烟袋斜街了。

如今的烟袋斜街仍然集聚了很多家小店和酒吧，平日里熙熙攘攘，与一路之隔的什刹海有着明显的区别。商业是这里最为明显的表征，透过充满着商业气息的小街，就能看到更加商业的地安门外大街。

推荐等级：
★★★★★

交通便利程度：
★★★★

乘车路线：
乘107、124路公共汽车至鼓楼站下

烟袋斜街
YandaiXiejie

北京逛街之三城记
东城富西城贵南城市民气之
西城情结

钟鼓楼下的平民生活

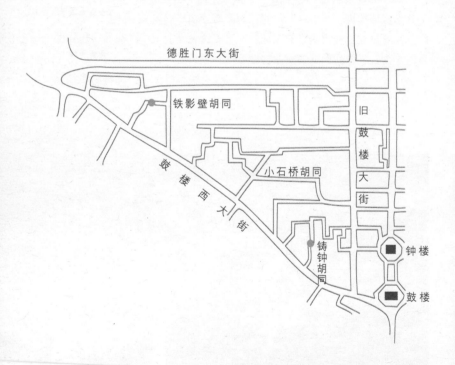

北

德胜门东大街

铁影壁胡同

鼓楼西大街

小石桥胡同

旧鼓楼大街

铸钟胡同

钟楼

鼓楼

2 西城路线

关键地标：钟鼓楼

Stop1

钟鼓楼 The Bell
And Drum Towers

钟鼓楼坐落在北京南北中轴线北端的一组古代建筑，是元、明、清代都城的报时中心。由于其类似城楼的建筑形式，飞檐翼角的独特形态，因此具有很高的艺术价值和审美情趣，成为著名的人文景观。

清代原规定钟楼昼夜报时，乾隆后改为只报夜里两个更时，而且由两个更夫分别登钟、鼓楼，先击鼓后敲钟。其计时方式按古人将一夜分为五更来计算，每更为一时辰，即现在的两小时，19点为定更，21点为二更，23点为三更，1点为四更，3点为五更，5点为亮更。钟鼓楼每到定更先击鼓，后敲钟，提醒人们进入睡眠，二更到五更则只撞钟不击鼓，以免影响大家睡眠。到了亮更则先击鼓后敲钟，表示该起床了。击鼓的方法是先快击18响，再慢击18响，共击6次，共108响。撞钟与击鼓相同。

钟楼建在砖石台基之上，楼高33米，报时所用的巨大铜钟悬挂在楼中间的八角形木架上，楼内有75级石阶通往二层。钟鼓楼的石阶都是陡然拔起的，一点过渡没有，危崖绝壁一般，走上去令人禁不住怦然心跳。

钟鼓楼是让人留恋的两座建筑，特别是那高高的檐脊，有着一种宁静的动感，当

The Bell
And Drum Towers

有鸟儿从上面掠过的时候，那屋脊似乎也有点跃跃欲飞的架势。精心设计过的檐脊，像从钟鼓楼肋下生出的硕大的羽翼，沉实地合了起来。随着这羽翼的节奏和曲线，飞过它头顶的云，竟也有了生动的起伏和韵律。

如今的钟鼓楼虽已失去司时的作用，但每到年节，依然能听到宏厚有力的钟鼓声，成为京城著名的一景。

推荐等级：
★★★★★

交通便利程度：
★★★★

乘车路线：
乘107、124、815路公共汽车至鼓楼站下

Stop2 梁漱溟故居 Hutong
铸钟胡同
Zhuzhong

北一京
逛街地图
WALKING
IN BEIJING

小贴士

　　梁漱溟，生于1893年，1911年中学毕业后参加了同盟会，民国成立后，曾任《民国报》编辑。1917年，受蔡元培邀请到北京大学任讲师，教授印度哲学，此时他只有24岁，而且没有大学学历。在北大的时候，他完成了重要著作《东西文化及其哲学》。解放后，他担任了全国政协委员。

推荐等级：
★★★

交通便利程度：
★★★

乘车路线：
　　乘815路公共汽车至甘水桥站下

　　铸钟胡同过去是铸钟的地方，大钟寺的永乐大钟就在此铸成，明朝时就已形成胡同，称为铸钟厂，1949年以后，成为铸钟胡同。

　　铸钟胡同是一条很狭窄的小巷，路口夹在周围的民居之中，不是很引人注意。胡同两旁是很简陋的宅院，院墙上的青灰已经脱落，残缺不全的老砖暴露在外面，诉说着岁月的变迁。铸钟胡同的房子大多是很低矮的，显然胡同里的整体建筑格局和那些大宅院林立的地方是不同的。

　　"文革"的时候，梁漱溟先生曾经在这条小胡同里居住了大约7年。

Hutong
Tieyingbi
Stop3 **铁影壁胡同**

铁影壁胡同东起八步口胡同，南至鼓楼西大街。胡同整体较为曲折。清朝时期，曾称为铁影背胡同。

胡同中有一座"护国德胜庵"，在今天胡同的19号，坐北朝南。德胜庵始建于明朝嘉靖年间，庵前有石雕影壁，质地玄红，为火成岩，很像生铁铸成，故而称为铁影壁。

及至民国，铁影壁被移至北海公园五龙亭的东北端。今天，当我们游览风光优美的北海公园的时候，仍然可以看到历经数百年风雨的铁影壁。

推荐等级：
★★★

交通便利程度：
★★★

乘车路线：
乘815路公共汽车至甘水桥站下

Hutong
Tieyingbi
铁影壁胡同

北京逛街之三城记

东城富西城贵南城市民气之
西城情结

藏在繁华背后的历史

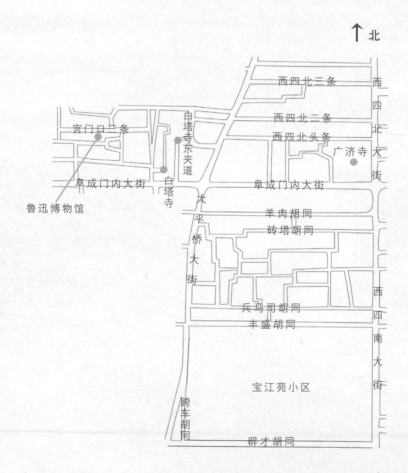

↑北

西四北三条

西四北二条

西四北头条

西四北大街

宫门口三条

白塔寺东夹道

广济寺

阜成门内大街

白塔寺

阜成门内大街

鲁迅博物馆

大平桥大街

羊肉胡同

砖塔胡同

兵马司胡同

丰盛胡同

西四南大街

宝江苑小区

跨车胡同

辟才胡同

3 西城路线

关键地标：西四

砖塔胡同
ZhuanTa Hutong
鲁迅故居

推荐等级:
★★★★★

交通便利程度:
★★★★

乘车路线:
乘22、47、726路公共汽
车至西四站下

　　砖塔胡同东起西四南大街,西至太平桥大街。因胡同东口有万松老人塔而得名。万松老人是元朝时的著名僧人,圆寂后葬于此处,并在上面建塔。

　　万松老人塔在胡同的东口,这里曾经是个寺庙,而塔则是僧人万松老人的佛塔。现在,庙已经成为了民居的组成部分,塔被民居包在了中间。

　　胡同的84号是鲁迅先生的故居。鲁迅住在这里,是因为和兄弟周作人的分手,从八道湾搬出后,便来到砖塔胡同找个栖身之所。鲁迅在这里大概住了9个多月时间,完成了著名的《中国小说史略》,创作了脍炙人口的《祝福》。

鲁迅博物馆

北京
逛街地图
WALKING
IN BEIJING

Stop2
Museum
Luxun 宫门口三条

推荐等级:
★★★★★

交通便利程度:
★★★★

乘车路线:
乘846、603、604路公共汽车至阜成门内下

宫门口三条位于阜成门内,因位于明时朝天宫门以东而得名。

所谓朝天宫就是明宣宗仿照南京的做法,在皇城西北建立的宫殿。现在,宫门口附近的东廊下、西廊下、草场等地均为当年朝天宫的遗迹。

如今的宫门口三条,是鲁迅博物馆的所在地。鲁迅博物馆成立于1956年,馆藏文物3万余件。院内的鲁迅故居,是鲁迅在1924年亲自设计改建的,保存完好。

小贴士

鲁迅(1881—1936),浙江绍兴人,原名周樟寿,字豫山,后来改名为周树人,字豫才。周树人这个名字是写作《狂人日记》时用的笔名。

《狂人日记》是中国现代文学史上第一篇白话小说,也是第一篇抨击吃人的封建礼教的小说。小说使鲁迅这个名字响亮,一代文学斗士由此诞生。

Stop3
G uangji 广济寺
Temple 中国佛教协会

小贴士

熊十力，1885年生，湖北省黄冈县人，著名哲学家。著有《新唯识论》、《原儒》、《体用论》、《明心篇》、《佛家名相通释》、《乾坤衍》等书。其学说影响深远，在哲学界自成一体，"熊学"研究者也遍及全国和海外，《大英百科全书》称熊十力与冯友兰为中国当代哲学之杰出人物。

在喧嚣的阜成门内大街上，靠近西四路口的地方有一座幽静的寺庙——广济寺。朱门隔了两个世界，更收藏了历史。1919年，梁漱溟与熊十力就在这寺门后面的重重院落之中争论佛教，"因为这是幽静的下榻所在，更是领略佛法的胜地"。

广济寺又称"弘慈广济寺"，这座以律宗闻名的城中寺院，由宋代的平常寺庙发展到明清时代的著名佛教场所，始终以谨严的法度，容纳着广阔的市井生活，被誉为闹世中的一片净土。

推荐等级：
★★★★★

交通便利程度：
★★★★

乘车路线：
乘22、47、726路公共汽车至西四站下

"顿悟"一类用语在广济寺里说出会显得格外轻灵。但它又远远不是"灵"而闻名的"性灵小筑",而是座庄严华刹,从1953年起中国佛教协会就设址于此。

广济寺分为三个部分。前面的大片区域是可以随意走动的,参观、进香、布施、还愿,都在这里。后面分为两个部分,一般不允许游客进入,一是佛教协会的办公地,二是僧人的起居场所。中间夹以过渡带,客僧的房间和斋房排列在两旁。

来到这里,你不能忽略这座寺庙悠久的历史。金代,这里是中都北郊的西刘村寺,经过元明两代的重建,更名为"弘慧广济寺"。经过清代至今的数次修缮后,从中轴线上我们能依次看到的是山门殿、弥勒殿、大雄宝殿、圆通殿和多宝殿。寺庙的西北隅是戒坛殿和汉白玉砌成的戒坛,至今保存完好,这是广济寺保存的最古建筑物,现称"三学堂"。

广济寺珍藏的佛教经典十分浩繁,仅图书室就有23种文字、17万多部佛教经典,仅收藏的《大藏经》就有12种版本。寺内还有1721年－1753年甘肃临潭县卓尼寺雕版印刷的一部藏文《大藏经》,共231包,是佛教典藏中的珍贵文本。尤其是宋、明血写佛经更为珍贵。

直到这座寺院中"走菩提路"的角门,你不仅会觉得这真正是一个研习佛法的庙宇,而更像是一片纯粹的古代建筑群。大殿里顿时香火鼎盛,寺院空场上还不时有身穿棉布袈裟的僧侣轻轻走过,而不远的门外,早已是滚滚的车流。

广济寺
Guangji
Temple

白塔寺 Stop4
Baitasi

北京
逛街地图
WALKING
IN BEIJING

　　"平则门，拉大弓，过了就是朝天宫，写大字，过了就是白塔寺。"这是老北京传唱了多年的童谣，词中的白塔寺就坐落在阜成门内大街北侧。白塔寺原称妙应寺，因寺中一座佛塔塔身通体皆白，故俗称为"白塔寺"。

　　妙应寺白塔是中国建筑年代最早、规模最大的一座元代喇嘛塔，也是现存古塔中，年代最早、规模最大的藏式佛塔，是瓶式喇嘛塔造型最杰出者，同时是元大都保留至今的重要标志。

　　白塔初建于辽代寿昌二年(1096)，后倒塌。1271年，在原辽塔旧基上，重修构筑成高大壮观的喇嘛塔，由当时入仕元朝的著名尼伯尔工艺家阿尼哥，仿照尼泊尔当时流行的式样，奉敕主持修建。

　　元朝政权建立之初，忽必烈曾提出要"以儒治国，以佛治心"，遂将喇嘛教定为国

教，并向蒙汉地区广为传扬。为了巩固中央与西藏僧俗势力的关系，他亲自察看选定塔址大兴土木，并下诏修建这座大型藏式佛塔，以作为神权与政权的象征。

白塔是一座典型的砖石结构的覆钵式喇嘛塔，有着浓郁古印度佛塔的风格。由塔基、塔座、覆钵、相轮、华盖和塔刹六部分组成。通体涂以白垩。台前有一通道，前设台阶，可直登塔基。塔基下方上圆，可分为三层：下层平台之上由两层须弥座相叠而成，须弥式基座上，有一座硕大的如意莲花，雕刻着24瓣莲花，莲座上有5条环带，承托着造型丰满浑厚，向下略微收进的塔身，显得坚实稳固，又挺拔秀美。

1978年对白塔维修加固施工中，人们还发现了清代乾隆十八年存留在塔顶部鎏金内的大藏经、木雕观世音像、铜三世佛像、赤金舍利长寿佛、补花袈裟、五佛冠、藏文的《尊胜咒》、珍珠、宝石，以及乾隆手书的《波罗蜜多心经》、御赐僧帽、僧服、经书等珍贵文物百余件。

前几年，白塔寺重新修葺一新，周边的环境得以整治，在车水马龙的北京街头，白塔寺给这座城市平添了一份历史的厚重。由白塔寺东夹道走进去，古老的四合院层层叠叠，又是一片百姓的质朴民风。

推荐等级：
★★★★★

交通便利程度：
★★★★

乘车路线：
乘846、603、604路公共汽车至白塔寺站下

Baitasi

Stop5

Baitasi
白塔寺东夹道 dongjiadao

推荐等级：
★★★★★

交通便利程度：
★★★★

乘车路线：
乘846、603、604路公共
汽车至白塔寺站下

　　白塔寺东夹道位于西四路口以西，南北走向，胡同较为曲折，北起安平巷，南至阜成门内大街。因位于妙应白塔寺东侧，所以得名。

　　妙应白塔寺的正门在阜成门内大街北边，寺内有一座高50.9米的覆钵式白塔，是元大都保留下来的重要建筑之一，精美壮观。

Former Residence Of Qi baishi 齐白石故居
跨车胡同
Stop6

跨车胡同北起太平桥大街,南至辟才胡同。清朝时称为车子胡同,相传是由于胡同中有造车厂而得名。

胡同大部分已经拆迁了,唯一留下来的就是齐白石故居,是原来胡同的13号,但现在已临近辟才胡同的路边。这里是齐白石自1926年起便居住的地方。齐白石1919年来到北京,当时住在京南的法源寺,平日以卖画刻印为生。那时候,齐白石的画很少有人认同甚至被归为异类,卖出的画很少,生活很是惨淡。后来,齐白石结识了徐悲鸿,徐悲鸿慧眼识珠,并且给予了他很大的帮助。此后,齐白石被北平艺专聘为教授,时年已近70,可谓大器晚成。

在上个世纪中国书画界的名人中,齐白石的名字是绝对不会被忽视掉的,如今他的画作大多已经成了稀世珍品,成为各大艺术展馆引以为荣的藏品。

北京逛街之三城记
东城富西城贵南城市民气之
西城情结

街南历史，街北潮流

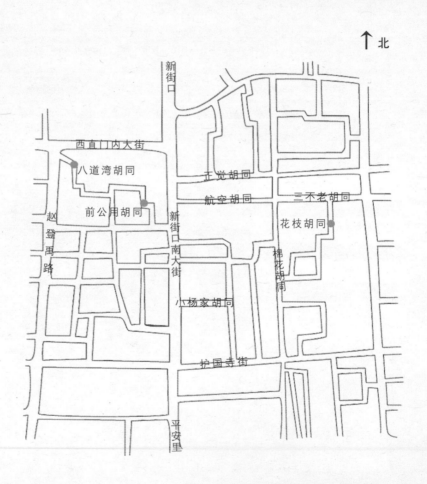

↑ 北

新街口

西直门内大街

八道湾胡同

正觉胡同

航空胡同

三不老胡同

赵登禹路

前公用胡同

花枝胡同

新街口南大街

棉花胡同

小杨家胡同

护国寺街

平安里

4 西城路线

关键地标：新街口

Stop1

Xiao 老舍出生地 yangjia Hutong
小杨家胡同

推荐等级:
★★★

交通便利程度:
★★★

乘车路线:
　乘22、47、726路公共汽车至护国寺站下

　　小杨家胡同原名小羊圈胡同,位于新街口以南。老舍出生地即在此处。

　　小杨家胡同在新街口内大街路东,夹在一片临街的门面房中间,不很容易找到。走进窄窄的胡同,不多远,出现了一片开阔地带,想来可能就是老舍先生笔下的"葫芦胸"了,而胡同口还有那段仅容得一人经过的地方,估计就是葫芦的嘴和葫芦的脖子了。1899年2月3日,老舍出生在胡同的8号院里。老舍在这里度过了童年时光,喧闹的市井生活融入他的血液,成为他日后创作的丰富素材。

　　时光不再,房子也大多不是原先的故宅,只有老墙寥寥,饱含着岁月的感怀。

Stop2

棉花胡同 蔡锷故居
MianhuaHutong

小贴士

蔡锷，1882年12月出生于湖南农村的一个普通人家，家境贫寒，但他自幼聪颖好学，13岁便中了秀才。1898年，考入湖南时务学堂。时务学堂是由维新运动重要的参与人谭嗣同发起创办的，梁启超也曾在此任教。蔡锷跟随梁启超前往日本留学，1904年毕业回国后，先后任江西、湖南军事学堂教习，广西新军总参谋官和教练官，此后到云南任新军协统。

1911年，辛亥革命，蔡锷发动新军起义响应武昌起义，起义胜利后被推举为云南军政府都督。1916年，成功逃离袁世凯控制的蔡锷率军入川，反对袁世凯称帝，随后各地纷纷响应，3月22日，袁世凯被迫取消帝制，同年6月6日，众叛亲离的袁世凯暴病死去。一场复辟闹剧就此收场。

棉花胡同形成于明朝，当时称为绵花胡同，清朝时，改称为棉花胡同至今。棉花胡同多数是墙垣式的门楼，可以看出以前住在这儿的大多还是并不富裕的平民百姓。在靠近棉花胡同北口的地方，有一些旧时商铺的痕迹，虽然砖石的招牌已经不再清晰，但从它们的建筑形式仍然可以看出往日的喧嚣。

胡同中部的66号是蔡锷故居，门楼很普通，不过旁边的古槐却非常引人注目，粗大的槐树远不止百年了，从一个侧面也在诉说着院子的古老。

推荐等级：
★★★

交通便利程度：
★★★

乘车路线：
乘22路公共汽车至新街口南站下

Stop3

三不老胡同 郑和故居遗迹
Sanbulao Hutong

位于东起德胜门内大街，西至棉花胡同。明朝时，称为三保老爹胡同，是因为胡同里有三保太监郑和的府第，后来"三保太监"逐渐讹称为"三不老"，所以后来此胡同被称为三不老胡同。

今天如果只凭眼睛看到的胡同景象，那是断不会将这里和曾经风光无限的郑和联系到一起的，可是历史就是那么凑巧，偏偏郑和在这里住过。郑府宅园没有留下一点痕迹，过去的荒地盖上了楼房，只有对面几处老宅孤零零地守望着。

推荐等级：
★★★★

交通便利程度：
★★★

乘车路线：
乘22路公共汽车至新街口南站下

小贴士

郑和是明成祖的亲信内监，他本姓马，从小被送入宫中成为官官，分派到燕王朱棣府邸，因聪明乖巧，受到赏识。燕王推翻建文帝取得政权后，郑和因功被赐姓郑，官居正四品的"内官监太监"。永乐元年，郑和师从成祖的谋臣、道衍和尚姚广孝，皈依佛教，别名三保，也被称为"三保太监"。明成祖即位后，希望加强与东南亚国家的联系，也借此炫耀大明帝国的国威，便任命郑和为使节，开始了一系列大规模的海上活动，共有7次，前后延续28年，史称"郑和下西洋"。据说郑和的宝船最大的长44丈，宽18丈。树立9根大桅杆，由位于南京的龙江船厂制造，形制巨大，制作精良，在世界上首屈一指。郑和下西洋证明了在15世纪，中国具有世界领先的航海科技和船只制造技术，比欧洲地理大发现早一个世纪，基本与世界新航路的开辟处于同一时间段。但是，中国很快失去了下西洋的动力，以后再无大规模的海上活动了。中国自动开始了航海的黄金时代，也自动结束了一段灿烂的海上航行史。

Sanbulao Hutong
三不老胡同 郑和故居遗迹

Stop4 周氏兄弟故居

Badaowan Hutong
八道湾胡同

北京逛街地图
WALKING IN BEIJING

在新街口，从后公用胡同拐进八道湾以后，就感受到里面的窄小和曲折，和北京其他类似的胡同一样，八道湾里大多是一般的普通民居，没有大宅门，多为如意门和墙垣门，房子也都不高，还是按照坐北朝南的规格建筑的，所以胡同更像是院落之间的过道了。八道湾的11号是周氏兄弟的故居，也是周作人晚年的住处，现在的院子基本上已经面目全非了，正门被改作了居民的住宅，只是在旁边另开了一个供出入的小门，如果不仔细看，一般是发觉不了的。胡同越往西就越狭窄，到最后分成了两路，分别通向已经拓宽的赵登禹路。

院子里完全失去了从前的格局，到处是搭建的小棚屋，如果不是第二进门楼上还算规整的砖瓦的话，大概就和宣南那些彻头彻尾的大杂院没什么区别了。穿堂门西边的那间房子，据说就是鲁迅写作《阿Q正传》的地方。进到中院以后，发现这里保存得还可以，正房曾经是鲁迅母亲和朱安的住处，在正房后面，有一间单接出来的小房子，不知道和宫门口西三条鲁迅故居里的"老虎尾巴"有没有关系。

新街口 Stop5
Xinjiekou Street

作为较早的时尚商业街之一，新街口并不只属于某一类人群的逛街地带，它特有的朝气和多元性注定会吸引所有追求新潮的人来此淘宝，几十种经营项目，几百家特色小店，沿着新街口大街向南、向北遍布开去。这里不如王府井那样的华丽，也没有西单那样的嘈杂，如今爱逛街的人们早已厌倦了人车接踵、霓虹闪烁和满眼的海报标语，而新街口就在稍加装饰的朴实外表下包裹着时尚与个性，到处充满了别样的风格与内涵。

逛新街口，大家都会奇怪这里这么多的店面怎么没有店名？大部分招牌有底无字，可谓一大特色。新街口的无字招牌店多以服饰类为主，门脸不大，只要进门探去，真有"柳暗花明又一村"的感觉，有的是"豪华套间"，有的是"玲珑迷你间"，室内错落有致地摆挂着款式多样的服饰，货品很是"丰盛"。除了几家商场和名牌专卖店外，新街口多数服装小店都打着外贸服装的旗号，各店风格迥异，款式绝不雷同。这里的服饰更新很快，而且流行味十足，喜欢的话一定要把它买下，如果隔天再来可能就没有了，尤其是女装，很多都是国外订单剩下的，如果运气好的话，淘到的衣服很有可能全北京只此一件呢。

对于爱好音乐、影视的人而言，在这里淘碟绝对是一种享受。新街口的诸家音像店品种繁复，适合各类人的口味，并且质量不错，因而在淘碟族中一直都有很好的口碑。这些店大多数集中在新街口北大街，并且每家特色不同，一路逛下来一定大有收获。

新街口的饮食也是闻名北京的。来到新街口最热闹的丁字路口，这里就像是一个休息的驿站，南来北往的人们逛了半条街后都有点儿累了，肚子也饿了，找家馆子吃点东西歇歇脚再合适不过了。这里从南至北分布着各种餐馆，既有肯德基、麦当劳这样的洋快餐，也有新川面馆、庆丰包子、西安饭庄这样的"老字号"小吃。

沿着新街口南大街往前走，这里聚集着众多乐器行，在京城也小有名气，低赢利和周到的服务吸引着大批回头客，同时营造着新街口的文化内涵。

小店推荐：

淘东东服装市场：

60余家时尚小店，经营街头流行服饰，是淘宝的好去处。

地址：新街口麦当劳餐厅二层

茧工作室：

麻纱长裙、蜡染粗布包等手工服饰及家居用品，蜡染的粗布包，粗制中别有情节。

推荐等级：
★★★★

交通便利程度：
★★★★

乘车路线：
乘坐 22、38、626、826、726、709路公共汽车新街口站下

地址：新街口北大街 36 号

火鸟精品店：

隐藏在新街口挨肩擦背的小店中，不起眼的店门，头花、发卡、小贴士纸、口杯、项链、耳环、好玩的卡通和玩偶、铝制扁酒壶、核桃木或玉米芯做的烟斗、Zippo 打火机、正宗瑞士军刀等，应有尽有，货架上还经常有新鲜的玩意儿。

地址：新街口北大街乙 132 号

导火线 — 野外生存：

如果你是野战、迷彩风格的爱好者，那你一定听说过"导火线 — 野外生存"的大名。这里有关野战、军队、警察的服饰应有尽有，款式相当丰富，如果你是军品的发烧友，那么来这里淘宝绝对不会后悔。

地址：北京新街口北大街甲 105 号

个性真我：

别看铺面不显眼，可里面全是宝贝，各种外贸货都能找到。

地址：北京新街口外大街 48 号

沃尔林商贸：

外贸服装、鞋帽，富有都市气息，个性化，还有民族特色的包、手机套、服装等。

地址：新街口北大街 46 号

板井婷子：

日式经典纯银饰品、手工打造，带领你进入"纯银时代"，兼营图案精美、色彩鲜艳的各种 T 恤和自制纯皮包。

地址：新街口北大街 108 号

庆丰包子铺
Qingfeng Restaurant

地址:

西城区新街口南大街16号

推荐等级:

★★★★

交通便利程度:

★★★★

乘车路线

乘坐22、38、626、826、726、709路公共汽车新街口站下

　　天津有"狗不理",北京有"庆丰"。要在北京吃包子,"庆丰"算得上是首选。

　　庆丰包子铺始建于1948年,开始仅是一家普通的小饭馆,因包子口味地道,自1956年起专营包子,并正式打出"庆丰包子铺"的招牌。这里的包子个大馅多,做工细致、味道鲜美。

　　庆丰的三鲜包子特别受欢迎,点上一盘包子,再来盘海带丝,喝上一碗粥,很简单也很惬意。

Xi'an 西安饭庄 <small>Stop7</small>
Restaurant

西安饭庄是北京经营陕西风味的老店，承载着新中国成立初的一段历史记忆，很多老北京人都对它都很有感情。

西安饭庄主要经营的是西北风味的菜品。这里的羊肉泡馍非常地道，大碗的汤很实在，还保留着自己掰馍的传统。您要是第一次掰馍的话可要注意了，自己动手掰馍可得有力道、讲方法，要不费半天劲，您也吃不着这美味的羊肉泡馍。不过辛苦劳动是有回报的，自己掰出来的馍比机器切出来的好吃，泡出来的味道也更鲜美。另外，如果您的胃口不是很大的话，一个人 个馍也就够了，这里的饭菜分量真的很足。

要特别推荐的是西安饭庄门口的电烤羊肉串，远远地就能闻到香味，吃起来味道也非常好。这里每天都能看到排队买羊肉串的队伍，称得上是新街口一带一道独特的风景了。

地址：
北京西城区新街口南大街20号

推荐等级：
★★★★

交通便利程度：
★★★★

乘车路线：
乘坐22、38、626、826、726、709路公共汽车新街口站下

辟才胡同
灵镜胡同
↑北

西单国际大厦
● 西单百货商场

西单北大街

北京通信公司
● 西单华威

力学胡同

● 民族大世界
● 中友百货

君太百货 ●

钟声胡同

西单文化广场

西单图书大厦 ●

中国银行 ●

复兴门内大街
西长安街

民生银行 ●
美美时代百货 ●

5 | 西城路线
关键地标：西单

Walking In
逛西单Xidan

西单商业街与王府井并称北京最著名的传统商业区。这里有新建的文化广场，有著名的中友百货、君太百货，还有很多的老字号和新兴小店。

对热爱西单的人们来说，来到西单，就意味着一种活力四射的生活方式。最先锋的时尚潮流在这里澎湃，各式各样的打折活动也在这里竞相上演。华丽的商店橱窗点亮了人们的双眼，鲜亮的购物招牌从大楼的玻璃窗一直延伸到地铁的最深处。年轻人在这里创造出新的时尚和潮流，被引领起来的时尚又创造出城市崭新的面孔。

西单也是众多外地游客游览北京的必游之地。在这里能够买到各式各样的北京特产；在这里也能体验到北京时尚新鲜的城市气息和热闹而富有活力的城市文化。

在西单，每个路人都似乎因购物而充实满足。在西单，购物已经变成了一种狂欢，每到一处，你都会有新的惊喜，熙熙攘攘的人潮会引领你走进一个个各具特色的购物天堂。

Shopping Mall
Zhongyou
中友百货

　　南临西单文化广场，西对中国银行大厦。中友百货主要面对时尚的年轻人，这里经营的品牌很全，从国际著名品牌到国内名牌一应俱全，"淑女馆""少女馆"聚集了数量庞大时尚女装，在这里经常能看到美丽时尚的京城靓女们的身影。

　　中友百货长年都有各式促销活动，正因为这样，这里似乎永远都是人满为患。特别值得一提的是位于文化广场底层的中友地下广场，这里有北京最大的特卖场，很多知名品牌都在此设有定期特卖，价钱更可低至1折。买完衣服还可到旁边的各类小吃店里小坐休息，从B1层到B2层还设有电影院、电玩世界、溜冰场、攀岩、乒乓球、咖啡厅、美发店，要怎么放松娱乐，全看你的心情。

地址：

西城区西单北大街176号
华南大厦

推荐等级：

★★★★

交通便利程度：

★★★★★

乘车路线：

乘22、808路公共汽车，102、105、109路电车至西单商场站下；或乘1、4、10、15、52、61路公共汽车至西单站下，也可乘地铁1号线至西单站下

Grand
君太百货 pacific Mall

地址：

西单北大街133号

推荐等级：

★★★★

交通便利程度：

★★★★★

乘车路线：

乘22、808路公共汽车，102、105、109路电车至西单商场站下；乘1、4、10、15、52、61路公共汽车至西单站下，也可乘地铁1号线至西单站下

君太百货与中友百货隔街相对，是西单商业街上人气相当旺的一处购物休闲宝地。有报道说君太百货是北京面积最大的百货公司，新颖现代的购物环境和丰富前卫的商品让这家2003年才开业的大型卖场迅速成为西单商业街上风光无限的百货新贵。

逛过君太百货的人都知道，君太百货的店堂明亮宽敞舒适，服务相当细腻，这里出售的衣装款式和其他几家百货相比，也更新颖时尚。君太百货的餐饮也极具特色，不但引进了必胜客、肯德基、星巴克这样的国际餐饮品牌，新近还进驻了著名的中餐品牌——麻辣诱惑，再加上哈根达斯、水果捞、面包新语等休闲餐饮的补充，使得君太百货成为西单商业街上的一颗餐饮明星，诱人的美食成为君太百货吸引人们的一大亮点。

Stop3
Department Store
Xidan 西单商场

地址:
西单北大街120号

推荐等级:
★★★★

交通便利程度:
★★★★★

乘车路线:
乘22、47、726、826路公共汽车或102、105、109路电车至西单商场下，也可乘地铁1号线至西单站下

　　西单商场是家有着近70年历史的老字号商店，在北京一直保持着很好的口碑。当年的西单商场是老北京人购物休闲的乐园，酸甜醇厚的酸梅汤、土制的老冰棍还有北京风味的豆腐脑儿都是西单商场里的畅销货。时光荏苒，今天的西单商场经过几度重修后，已经变身为一处规模宏大的现代化百货商场，它与王府井的新东安市场、百货大楼遥相呼应，成为在北京商业界的占有重要地位的老牌百货商场之一。

　　如今的西单商场分为南北两块区域，南楼突出成熟、稳重的风格，依然经营一些北京老百姓喜爱的国内名牌产品和中老年服饰等；北楼突出青春休闲的主题，引进了众多的国际时尚品牌。在与西单商场联体的西单购物中心里，还有各类老北京特产食品出售，吸引了众多来西单游览的游客。

　　在西单商场这样的老字号的百货卖场，你可以尽情追逐潮流，也可以购买到贴近老百姓生活的商品，或许这就是西单商场的过人之处吧。

西单华威
Huawei Plaza
Stop4

小贴士

在华威买东西，价格有很大的回旋余地，看上了喜欢的东西，一定要注意侃价才行。

地址：

西城区西单北大街130号

推荐等级：

★★★★

交通便利程度：

★★★★★

乘车路线：

乘22、47、726、826路公共汽车或102、105、109路电车至西单商场下，也可乘坐地铁1号线至西单站下

西单的华威大厦是北京时尚青年和新新人类的购物天堂，这里酷店云集，国内一些著名服饰杂志也都到华威里的小店里来拍摄服饰。每到节假日，这里还会成为北京酷男靓女的集中地。

华威三层设有年轻人喜欢的品牌专卖店，4到7层则是精品小店的天下。华威4层一直被称作"韩国城"，这里主要经营韩国风格的饰品、服装和化妆品，店面的设计装潢很有韩国特色，店里的商品也是新鲜有趣。你要是"哈韩"一族，那就一定不要错过这里。华威5层到7层聚集着众多风格各异的精品小店，有手工艺饰品，有最新款的个性服装，另外还有数不清的箱包店、毛绒玩具店。时下最时尚的服饰和小商品都能在这里淘到，就看你的火眼金睛了。

北京逛街地图
WALKING IN BEIJING

Huawei Plaza 西单华威

Meimei Time Plaza

Stop5

美美时代百货

与西单别的商场不同，美美时代百货没有那么拥挤的人流，也没有热闹喧嚣的促销场面，这里明亮、安静、舒适，可以说是西单商业街上很有特点的一处购物之地。

别看美美时代百货的姿态比较低调，这里出售的商品可都是国际著名的高档品，来到美美的1层及2层，满眼尽是Gucci、Versace、Ferragamo、Hugo Boss等国际一线品牌的时装、鞋包、手表及配饰，来这里购物的也大多是些高端消费者。熟悉这里的人都知道，美美时代百货以前的名字叫作"首都时代广场"，这里地下一层的星级电影院也是北京白领和众多年轻人看电影的热门地点，还常常有国内大片的首映式在这里举行。看完电影，到美食区大快朵颐一番，你会发现和西单其他商场不同，这里的美食店从来不需要等餐位，就餐环境更是清爽又宁静。高水准的美食和安静舒适的环境能让人的身心得到彻底的放松，或许这也是美美时代百货带给人们的高档次享受之一吧。

地址：
西长安街88号时代广场

推荐等级：
★★★★

交通便利程度：
★★★★★

乘车路线：
乘1、4、52、10、808路公共汽车至西单站下，也可乘坐地铁1号线至西单站下

Stop6

Xidan Pearl Market
西单明珠商场

　　西单明珠商场被称为少男少女们的淘宝天堂，来到这里，你能见到各种各样新奇古怪的小玩意，要是会侃价，还能用最少的钱买回最多的好东西。

　　从1层的小饰品到2层3层的服装、鞋帽，这里的商品种类丰富、款式新潮，价钱是很便宜，不过质量确实也是良莠不齐。来明珠商场购物的大多是北京当地的学生还有各类追求新奇的年轻人，设计前卫的服装、漂亮可爱的饰品是这里最受欢迎的商品。

地址：
　　西城区西单横二条59号

推荐等级：
★★★

交通便利程度：
★★★★★

乘车路线：
　　乘1、4、52、10、808路公共汽车、百丽宝支线至西单站下，也可乘坐地铁1号线至西单站下

Stop7
Beijing Books Building
北京图书大厦

地址：
西城区西长安街17号

推荐等级：
★★★★★

交通便利程度：
★★★★★

乘车路线：
乘1、4、52、10、808路公共汽车、百丽宝支线至西单站下，也可乘坐地铁1号线至西单站下

　　北京图书大厦是西单商圈的著名地标，要是几个好友邀约逛西单，十有八九是约定在北京图书大厦门前等候，谁要是早到的话，就可以先进书店去看会儿书。

　　北京图书大厦也是北京最大的图书商城，每到节假日这里总是人山人海，大大的书堆和拥挤的人流是这里留给人们最突出的印象。图书大厦从1层到4层都是开架售书区，社科类、科技类、文学类、少儿读物以及外版和澳台版图书画册，应有尽有。由于人多，又临近西单闹市区，北京图书大厦少了一些书店的宁静舒适之感，但这并不妨碍它成为北京书店的旗舰。

Beijing
Books
Building

北京逛街之三城记

东城富西城贵南城市民气之
南城情结

北京文化的圣殿

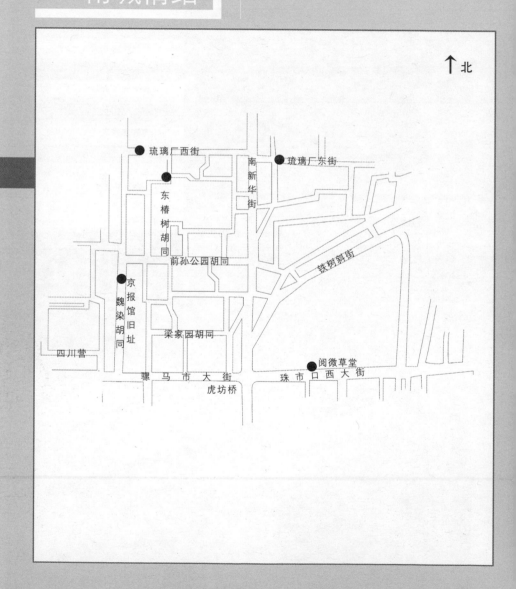

北

琉璃厂西街

琉璃厂东街

南新华街

东椿树胡同

铁树斜街

前孙公园胡同

京报馆旧址

魏染胡同

梁家园胡同

四川营

骡马市大街

珠市口西大街

虎坊桥

阅微草堂

1 南城路线
关键地标：琉璃厂

Stop1
Liulichang 琉璃厂

推荐等级：
★★★★★

交通便利程度：
★★★★

乘车路线：
乘14、66路公共汽车至琉璃厂站下

琉璃厂在和平门外，西至宣武区的南、北柳巷，东至宣武区的延寿寺街，全长约800米。实际上在历史上，远在辽代，这里并不是城里，而是郊区，当时叫"海王村"。后来，到了元朝，这里开设了官窑，烧制琉璃瓦。自明代建设内城时，因为修建宫殿，就扩大了官窑的规模，琉璃厂成为当时朝廷工部的五大工厂之一。到明嘉靖三十二（1554）年修建外城后，这里变为城区，琉璃厂便不宜于在城里烧窑，而迁至现在的门头沟区的琉璃渠村，但"琉璃厂"的名字保留了下来，流传至今。

清初顺治年间，京城实行"满汉分城居住"。琉璃厂在外城的西部，当时的汉族官员多数都居住于此，后来全国各地的会馆也都建在附近，官员、赶考的举子也常聚集于此逛书市，使明朝时红火的前门、灯市口和西城的城隍庙书市都逐渐转移到琉璃厂，各地的书商也纷纷在这里设摊出售书籍，逐渐使琉璃厂发展成为京城最大的书市，与文化相关的笔墨纸砚、古玩书画等也随之发展起来。

后来，在琉璃厂厂址上修建了师范学堂，这就是现在的师大附中的前身。在厂址往南修建的海王村公园，成为琉璃厂集市的中心，也是后来厂甸最为热闹的地方之一。

琉璃厂有许多著名老店，如荣宝斋、古艺斋、萃文阁、一得阁、李福寿笔庄，还有中国最大的古旧书店 — 中国书店，其中以荣宝斋最为著名。

在琉璃厂西街南侧，有一家名为来薰阁的书店，从来薰阁再往西走不远，还有一家古籍书店。这两家书店都有着鲜明的特色，来薰阁以画册和京味图书闻名，而古籍书店则以出售广而全的文史资料著称。

琉璃厂至今仍然是古朴的，不光是那些明清时代的老房子，更多的还是里面充满了京城气息的生活场景。

琉璃厂
luli chang

Stop2

D东椿树胡同Hutong
Dongchunshu

小贴士

辜鸿铭(1857—1928)，本名汤生，生于南洋，父亲为华侨，母亲是葡萄牙人。幼年时代，随养父到英国读书，继而游历欧洲各国，精通九国文字。而立之年，回到祖国，在张之洞手下十数年，及至民国年间，出任北京大学教授。

推荐等级：
★★★

交通便利程度：
★★★★

乘车路线：
乘14、66路公共汽车至琉璃厂站下

在明清时期，东椿树胡同附近曾有很多椿树，因而得名。现在的东椿树胡同，只剩下了半边，新式的小区取代了古老的胡同，风景变了，显得空阔，却失去了源于历史的厚实感。

东椿树胡同18号是辜鸿铭故居，只是这个名为故居的地方已经找不到当年的半点痕迹了。一代怪杰的身影消逝了，留下的只有那连绵不断的传说。其实东椿树胡同这处住宅，是辜鸿铭50岁来北京之后居住的地方，据说还是别人所赠。晚年的辜鸿铭在任北大教授期间，与民主风气背道而驰的作风使他在历史中留下了独特的一笔。学在西洋，却始终坚持维护皇权，尤其是被很多文字提及的那条代表清朝的发辫。

胡同中仅存的建筑大多是后来翻盖的，基本是简易的平房，远没有琉璃厂附近的奢华壮观，甚至可以说是简陋、寒酸。

Beijing Newspaper
Stop3 京报馆旧址 Old House

著名的京报馆旧址在魏染胡同，这条胡同的名字有两种说法：其一，曾经有一魏姓人办的染房，其二，则是说明朝宦官魏忠贤曾在此居住，魏被诛后称魏阉胡同，后改称魏染胡同。

魏染胡同的30号是京报馆旧址，现在里面已是普通人家，唯小楼依旧，述说着沧桑点点。虽然院子里搭建了很多小屋，所幸整体的格局尚在。

小贴士

说到京报，就不能不说它的创办人邵飘萍。邵飘萍1886年生于浙江东阳，幼年的时候在私塾读书，14岁便中了秀才，后来考入省立七中，再后来考入了浙江省立高等学堂。毕业以后，参与主办《汉民日报》。1918年10月，邵飘萍创办了《京报》，在创建之初，就提出了"为民请命，监督政府"作为办报的宗旨和责任。1926年，由于支持"三一八"反帝爱国运动，邵飘萍倒在了奉系军阀的枪口下。

推荐等级：
★★★★

交通便利程度：
★★★★

乘车路线：
乘6、715路公共汽车至骡马市站下

Former Residence Of Stop5
阅微草堂 Jixiaolan 纪晓岚故居
晋阳饭庄

小贴士

晋阳饭庄于1959年建店，是北京知名的山西风味饭庄。晋阳饭庄店址便是清代大学士纪晓岚故居。

来晋阳饭庄，打开菜谱，一定要点一道香酥鸭，这道菜名气大不说，味道还真能和北京的烤鸭相媲美，不油不腻，香脆可口。炒鸡脯和太原焖羊肉也是这里的特色菜，纯正的山西做法，口味非常地道。

到了晋阳饭庄也别忘了尝尝山西面食。山西的面食讲究面好卤也要好，削面时面片如雪花翻飞，煮好后晶莹透亮，再浇上不同口味的卤，比如西红柿鸡蛋、肉卤等，再加点正宗的老陈醋，准能让你吃得碗底朝天。值得品尝的还有拨鱼，把面和成糊状，用一种特制的铲和签把面糊一根一根地拨到锅里去，如豆芽大小，入口特别爽滑。还有一种特色面食叫猫耳朵，做法有很多，可以炒，可以做汤或者煮着吃。

推荐等级：
★★★★

交通便利程度：
★★★

乘车路线：
乘5路公共汽车至板章路站下

纪晓岚故居位于珠市口西大街241号。纪晓岚在这里住了两个阶段，分别是从11岁到39岁和从48岁到82岁，前后共计60多年。阅微草堂是纪晓岚给自己的居所起的雅号。现在这里是晋阳饭庄所在地。

Former Residence Of
阅微草堂 Ji Xiaolan

北京逛街之三城记
东城富西城贵南城市民气之
南城情结

繁华如烟老商街

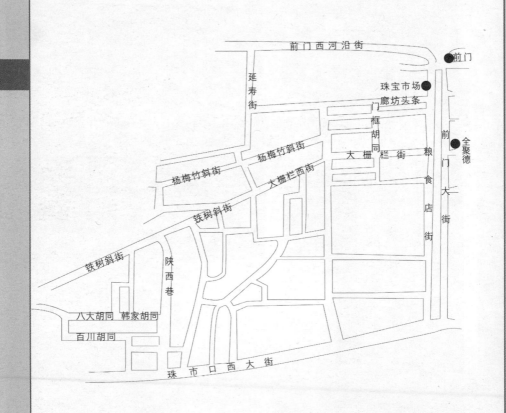

↑北

前门西河沿街

延寿街

珠宝市场
廊坊头条

门框胡同

大栅栏街

粮食店街

前门大街

全聚德

前门

杨梅竹斜街

杨梅竹斜街

大栅栏西街

铁树斜街

铁树斜街

陕西巷

八大胡同 韩家胡同

百川胡同

珠市口西大街

2 南城路线
关键地标：大栅栏

Stop1

Dashila大栅栏

推荐等级：

★★★★★

交通便利程度：

★★★★

乘车路线：

乘5、110、819路公共汽车至大栅栏站下

大栅栏东起前门大街，西抵煤市街，是京城最古老繁华、又别具一格的街市。狭窄的街道两侧布满了各式各样的店铺、商号，街道上人头涌动，终日热闹非凡。

大栅栏街历史悠久，始建于明代，兴盛于清代，距今已有近500年的历史。大栅栏在明代原称"廊房四条"，由于这里是前门通往南城广安门一带最方便的交通要道，是以明永乐迁都北京后，为了鼓励发展商业，在前门外修建"廊房"作为店铺，广招商家，设立市场。到了明朝中期时，这里已经成为一条较为繁华的街市了。

明弘治年间，由于天灾人祸，很多流民涌入京城，给京城治安带来很大压力，所以官府要求在内城大小街巷设立栅栏。后来，清兵入关建立清朝，将汉人和商人迁到城南，并且在京城大街小巷及胡同立起约1700处栅栏，早晨打开，晚上掌灯即关闭。而在"廊房四条"东西两面所建的栅栏十分高大，久而久之，人们就将此处称作"大栅栏"。

清朝时，为避免汉人和旗人之间的冲突，在把汉人迁到南城的同时，下令内城皇城附近除了一些店铺商号外，其他娱乐性质的如戏院等全部迁到前门之外，内城的人如想看戏，也得出前门到大栅栏。那些王公显贵、富商大贾也就常到这里看戏，大栅栏一带渐渐成了商业繁荣的热闹场所。

大栅栏街道两侧布满各种店铺，其中包括许多著名的老字号，如同仁堂、瑞蚨祥、内联陞、六必居等。

M门框胡同Hutong
Menkuang Stop2

门框胡同北起廊房头条，南至大栅栏街。门框胡同这个地名出现于清朝光绪年间，当时附近经商的人们集资在胡同中搭建了一座财神佛楼，是用石板将佛架起，远远望去，好似门框一样，因而得名。

今天，佛楼早已不存，只留下了当年的石板，与名称更加贴切，只是里面的历史没有太多人知道了。

推荐等级:
★★★★

交通便利程度:
★★★★

乘车路线:
乘5、110、819路公共汽车至大栅栏站下

B八大胡同 Stop3
Badahutong 韩家胡同

八大胡同是老北京城遗留下来的一个地理名词。它的具体位置在前门外大栅栏观音寺以南一片地区。

韩家胡同东起陕西巷，西至五道街。明朝时，有一韩姓大户人家在此居住，宅园里修建有大水潭，因而人们称之为韩家潭。解放以后，改称为韩家胡同。

过去韩家胡同是妓院云集的"八大胡同"之一。所谓"八大胡同"，是位于前门大栅栏附近，由八条胡同组成的妓院密集的地区。八大胡同是哪八条历来说法不一。确切地说，应该是石头胡同、陕西巷、王广福斜街、韩家胡同、胭脂胡同、百顺胡同、皮条营、纱帽胡同。

百顺胡同最初曾设有太平会馆、晋太会馆。会馆后来改为民居，据说李文藻进京朝见乾隆皇帝时，曾在这条胡同住过，如今这条胡同的老房保存得相对完好。

今天，过去的灯红酒绿早就是历史的碎片了，"八大胡同"也已是普通老百姓的住宅，那曾经风花雪月也好风尘如烟也罢的记忆，留下的是那个时代活生生的纪念。走进现在的八大胡同，从一些老屋老楼的建筑，你仍能依稀体会到当年的风貌。

B 八大胡同
Badahutong
韩家胡同

Q 钱市胡同 Stop4
QianshiHutong
北京最窄的胡同

推荐等级:
★★★★★

交通便利程度:
★★★★

乘车路线:
乘5、110、819路公共汽车至大栅栏站下

钱市胡同是北京最窄的胡同,在大栅栏距离前门大街不远处,这里过去是钱市和珠宝市,故而得名。胡同最窄处仅为四五十厘米,只能容一人通过。两旁建筑结构紧密,令人称奇。

Y杨梅竹斜街xiejie
Yangmeizhu Stop5

杨梅竹斜街在明朝时称为斜街，后来，据说这胡同里有一个杨姓的媒婆，在清朝时便改称为杨媒斜街，到光绪年间，谐音雅化为杨梅竹斜街。

胡同的61号是湖南西西会馆旧址。沈从文过去在西西会馆里住过，不过这段历史在胡同里已经不很清晰了。

小贴士

沈从文，1902年生，是中国文学与文化史上的大家，无论是《边城》、《湘行散记》，还是《中国古代服饰研究》，都已经成为不朽的传世之作。1922年，他来到了北京，开始尝试写作，并创作了一系列作品。

推荐等级：
★★★★

交通便利程度：
★★★

乘车路线：
乘5、110、819路公共汽车至大栅栏站下

T同仁堂 Stop6
Tongrentang

推荐等级：
★★★★★

交通便利程度：
★★★★

乘车路线：
乘5、110、819路公共汽车至大栅栏站下

在北京前门大栅栏街的中部，有一家声名远扬的药店，这便是百年老号同仁堂。

同仁堂创办于清康熙年间，距今已330多年。从清雍正元年（1723）开始，同仁堂开始专门为清宫御药房提供中药，连皇帝、后妃吃的药也是同仁堂制作的。由于承办御药，同仁堂在行业中取得了官商一体，财势两旺的垄断地位。从1669年到1911年，独办官药，历经8位皇帝，共计188年，这段历史使同仁堂在在继承传统医药精髓的同时，名声地位也与日俱增，几乎成了中药的代名词。

1900年八国联军入侵北京期间，大栅栏地区的一场大火将同仁堂老铺的前庭烧毁，家具和珍贵的医书也悉数被毁，一些侵略军官兵还常到店中骚扰勒索，使同仁堂损失巨大，后来经乐氏后代乐印川的妻子许氏的努力，同仁堂才逐渐得到了恢复。许氏去世以后，同仁堂开始由其四个儿子共同管理，当时称为"乐家四房共管"，这种家族管理形式一直持续到了解放初期。

同仁堂的制药特色可以用"处方独特，选料上乘，工艺精湛，疗效显著"来概括。其研制的安宫牛黄丸、乌鸡白凤丸算得上是与这家老字号一起蜚声四海的名药。同仁堂采购药材，坚持"选料严格，不惜高价"的原则，再加上来自民间与宫廷的各种秘方，严谨精当的熬制工艺，使得同仁堂名副其实地成为以"仁德""仁术"兼济天下的一代名店。

如今，大栅栏的同仁堂药店，已是新式的仿古楼，只有这幽幽的药香，由古而今，伴随着同仁堂药店走过岁月兴衰，一代又一代。

Stop7 Reifu Xiang
瑞蚨祥

旧时北京曾流传着"前门八大祥"之说，指的是在前门和大栅栏一带，有八家带"祥"字的绸布店，通称为"八大祥"。这"八大祥"始建于清同治年间，均由山东省济南府章邱县旧军镇的孟姓家族经营。最初有两家，一为前门西月墙瑞林祥，二是东月墙谦祥益，经营丝绸锦缎和粗细洋土布，生意兴隆。继而在打磨厂路南，开设瑞生祥，直至光绪十九年（1893）于大栅栏开设了瑞蚨祥绸布店。

何谓"瑞蚨祥"？据说是引用了"青蚨还钱"这一典故。"蚨"是传说中远古时期的一种神虫，一母一子，不管子虫和母虫相距多远，它们都能飞到一起找到对方。据说如果将母虫和子虫的血分别涂在铜钱上，不论在市场上使用了母钱而留下子钱，或使用了子钱而留下母钱，在用毕钱后，这子钱或者母钱就会自动飞回来。所以，"青蚨"就成了金钱的代名词。而"瑞蚨祥"这个字号，就是希望借其祥瑞的寓意，加上能带来金钱的青蚨，招财进宝，财源滚滚。

瑞蚨祥开业之后货真价实，服务热情，而且高、中、低档商品齐全，所以生意兴隆，声名大噪，近7年时光便拥有了40万两白银的资金，居"八大祥"之首。瑞蚨祥售卖的平纹布深受顾客喜爱。这种布选用上好的白坯布染制而成，漂染工艺相当严格。且刚出染坊的布匹严禁上市，必须包捆好在布窖里存放半年以上，待染料慢慢浸透每根纱线方可出售。这种工艺被称为"闷色"。虽然这种做法影响资金周转，但经过闷色的布缩水率小，布面平整，色泽均匀鲜艳，不易褪色，完整体现出瑞蚨祥一丝不苟的风格，为人所称道。甚至当时北京城流传的歌谣"头顶马聚源，脚踩内联陞，身穿八大祥，腰缠四大恒"中的第三句就干脆被改成了"身穿瑞蚨祥"。

传说庚子事变之时，大栅栏一条街被烧为一片灰烬。当时的瑞蚨祥主人孟觐侯以不足两万金，恢复重建瑞蚨祥。而光绪末年后，瑞蚨祥生意继续兴盛，在大栅栏大街连开五个分店，成为当时首屈一指的绸布店。

如今，"八大祥"只剩下了瑞蚨祥和珠宝市的谦祥益门市两家。谦祥益在解放后改为北京丝绸商店。旧时由孟氏开办的"祥"字绸布店，也只仅存瑞蚨祥一家。

今天的北京前门的瑞蚨祥绸布店基本保持了原来的建筑风貌：天井式的房屋结构，当年为达官贵人购物时停车用的栓马桩、门面上的石雕、罩棚等也还保存完好。

推荐等级：
★★★★★

交通便利程度：
★★★★

乘车路线：
乘5、110、819路公共汽车至大栅栏站下

Neilian Stop8
Nsheng 内联陞

老北京人讲究"脚踩内联陞"，说的就是要穿内联陞用传统工艺制作的布鞋。到今天，"内联陞"这家老字号，已有将近150年的历史。

清咸丰三年（1853），内联陞鞋店创办于崇文门内东江米巷，店主名叫赵廷。赵廷是河北人，十几岁从家乡来到北京，在东四牌楼一家鞋铺当学徒。出师后，他得到一个朝廷官员的帮助，筹资开办了这家鞋店，取名"内联陞"。这"内"指的是皇宫大内，"联陞"指得自然是"官场得意、步步高升"。听这名字，人们不难知道这是一家为官家服务的朝靴店。

当时内联陞制的鞋子的面料很讲究，加工工艺也与众不同。内联陞制作的朝靴底厚达32层，但厚而不重；黑缎鞋面质地厚实，色泽黑亮，久穿不起毛。如果沾了尘土，用大绒鞋擦轻轻刷打，就又干净又闪亮。这样的朝靴穿着舒适、轻巧、走路无声，显得既稳重又气派，官员们都非常喜欢。据说连宣统皇帝在太和殿登基时穿的龙靴，都是内联陞做好后送到内务府的。内联陞一方面服务达官贵人，另一方面也不冷落普通顾客。比如内联陞制作的"轿夫鞋"既跟脚又不易绽裂，柔软吸汗，走路无声，连习武的人也喜爱穿它，称得上是中国式的"休闲运动鞋"。

时过境迁，如今内联陞面向现代大众的特色产品是千层底布鞋。这种鞋在选材和手艺上仍然坚持了一贯的标准。

现在大栅栏街34号的内联陞鞋店，每天顾客盈门，迎接着自海内外慕名而来的游客。

Q全聚德
Quanjude <small>Stop9</small>

　　全聚德是京城老字号中首屈一指的大品牌，1846年杨寿山创建了这家百年老店。

　　全聚德前门店最能体现百年老字号的历史厚重感，走过介绍老店历史的廊子，开阔敞亮的厅堂古朴却又不失现代气息。全聚德一直以独特的"挂炉烤鸭"工艺著称于世，这里的烤鸭用果木烤制，烤制时炉门不关，烤好以后的鸭身呈红褐色，外酥里嫩，鲜香可口。鸭子出炉后，厨师会用娴熟的技巧快速片完整只烤鸭，然后就可以上桌了。

　　拿一块店里特制的荷叶饼，夹两片烤鸭肉，蘸点酱，加点葱丝，卷起来入口，不油不腻，香脆可口。当然，也可以不用荷叶饼裹着吃，把鸭肉直接夹进空心的芝麻饼里吃。

　　全聚德的鸭子不仅可以烤着吃，其他吃法也令人叫绝。除了我们熟悉的鸭架汤，这里还有炒鸭肠、糟鸭片、拌鸭掌，烩鸭丁腐皮、茉莉竹笋鸭舌汤、鸭骨奶汤等，几乎所有原料都被师傅做出了花样和新意。吃完鸭子还有解鸭腻的专调果汁，喝完以后会觉得胃里轻爽许多，也有助于消化。如果想带一只正宗的烤鸭回去和家人分享，店门口还有外卖。

推荐等级：
★★★★★

交通便利程度：
★★★★

乘车路线：
　　乘5、110、819路公共汽车至大栅栏站下

北京逛街之三城记

东城富西城贵南城市民气之

南城情结

寻找戊戌变法的脚印

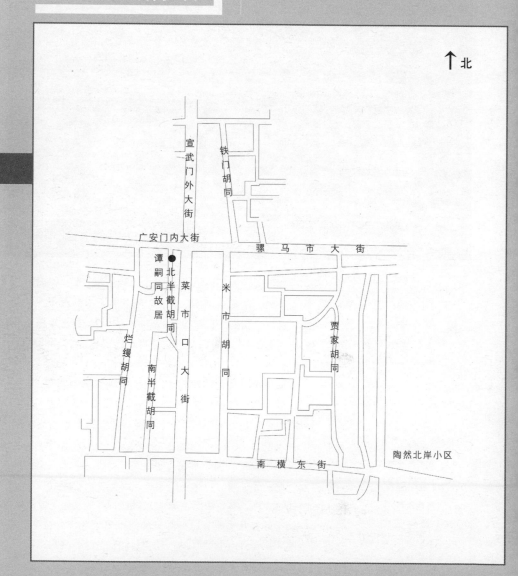

↑北

宣武门外大街

铁门胡同

广安门内大街

骡马市大街

谭嗣同故居

北半截胡同

菜市口大街

米市胡同

贾家胡同

炸绳胡同

南半截胡同

陶然北岸小区

南横东街

3 南城路线
关键地标：菜市口

Stop1 Nanban jie Hutong
南半截胡同

绍兴会馆　鲁迅故居

推荐等级:
★★★★★

交通便利程度:
★★★★

乘车路线:
乘6、715、822路公共汽车至菜市口站下

北京
逛街地图
WALKING
IN BEIJING

南半截胡同由于胡同的长度为南北纵向的街道的一半而得名。胡同形成于明朝，称为半截胡同，清朝时，改称南半截胡同至今。胡同里房屋都不高，大多是墙垣式的门楼，宅子和宅子之间都紧紧挨着。靠近胡同北端的地方，有一座蛮子门，在这条胡同中显得很明显，这就是著名的绍兴会馆。

绍兴会馆始建于清道光六年（1826），在南半截胡同7号，这里现在是普通的大杂院。凭借着文物保护单位的标志，每年仍有不少的游客慕名前来参观。

1912年，鲁迅初来北京的时候就住在这里，在这里，他写下了传世名篇《狂人日记》。

Mi Shi 米市胡同
Mi Hutong Stop2

明朝时，这里有米粮集市，形成街道，故而得名，清朝以后，延续米市胡同称谓至今。米市胡同很宽敞，大宅院很多，门楼大多也很气派。据说，清朝以来，这里先后住过很多位官员或是文人，但是，留下名字的并不多。

胡同43号是以前的南海会馆，也就是著名维新派人士康有为的故居，64号曾经是安徽径县会馆，那里是五四运动时著名刊物《每周评论》的编辑部。南海会馆的大院里有十多个小院子，其中有个名为"七树堂"的地方就是康有为住过的，对面有个中式的二层小楼，那里曾经就是著名的便宜坊烤鸭店旧址。

现在，一提到便宜坊，人们不由得就会想到与全聚德齐名的烤鸭，全聚德是挂炉烤鸭，而便宜坊是焖炉。现在，便宜坊在北京有很多家店面，比如在崇文门哈德门饭店旁边气派的大楼。如今，可能已经很少有人知道便宜坊老店的具体位置了。

小贴士

说到康有为，自然会想到戊戌变法，想到维新运动。1858年，康有为出生于广东南海。1888年，他进京应试未能得中，后在广州办学，即后来著名的"万木草堂"。1895年，清政府甲午战败，与日本签定了丧权辱国的《马关条约》。此时，正好是科举会试，康有为、梁启超领导学子们集体上书清帝，史称"公车上书"。

推荐等级：
★★★★★

交通便利程度：
★★★★

乘车路线：
乘6、715、822路公共汽车至菜市口站下

Stop3 He niantang 鹤年堂

推荐等级：
★★★★★

交通便利程度：
★★★★

乘车路线：
乘6、715、822路公共汽车至菜市口站下

在北京宣武区菜市口西北角，有一家声名显赫的老药店，它的知名不仅在悠久的历史和传说，更由于这里曾和戊戌六君子的殉难地联系在一起。

"要吃汤剂饮片，请到鹤年堂"是老北京早年流传的说法，鹤年堂老药店的名气可见一斑。相传鹤年堂药店始创于明代嘉靖年间，距今已有400多年的历史了。据说这"鹤年堂"原是明代权臣严嵩花园里一个厅堂的名字，严嵩势力败落后，他的手书匾额遗落民间，机缘巧合落户在了这家药店。"鹤年堂"这三字金箔凸体黑字巨匾，被悬挂在店堂中，"鹤年堂药店"也由此得名。

相传光绪二十五年（1899）时，金石古文字学家王懿荣患病，大夫开了一味药称作"龙骨"。王懿荣遍寻京城，终于在鹤年堂买到了这味药。当他欣喜地打开药包，竟意外地发现，这"龙骨"上刻着类似篆文的文字，于是立即把鹤年堂里的"龙骨"悉数买回。经过认真研究，王懿荣认定这"龙骨"上的刻字，就是古人在龟骨兽甲上书写的文字，也就是现在举世闻名的甲骨文。

历史传说转眼便化为后人茶余饭后的笑谈，但鹤年堂400多年来辛勤经营创下的四海声望却是名副其实的。当年，鹤年堂以优质的汤剂饮片闻名京城。药店常年派人到各省采购地道药材，修和炮制，提炼精华。特别在饮片的刀工上特别讲究，如郁金、杭勺等切极薄片，黄芪切斜片，大熟地等要用黄酒反复蒸制，至内软、糖心为度……这样的饮片汤药，在京城可谓首屈一指，难怪旧时达官贵人不管路途遥远、价格高，也要买这鹤年堂的药。

如今，鹤年堂药店仍位于北京菜市口，还在京城里另开了其他分店，只不过当年的建筑早已消失在了城市的变迁中，一幕幕过去的场景也是逝影如烟。

贾家胡同Hutong
Jiajia 林则徐故居 Stop4

　　贾家胡同在明朝时，称为贾哥胡同，清时称贾家胡同。贾家胡同是典型的宣南胡同代表，里面各式的门楼基本上都有，靠近北端的地方，有广亮式的大宅院，中部则有蛮子门和如意门，而普通市民的墙垣式门楼也时而插缀其中。它们各自连接着，经历了数百年的风雨，仍然彼此"依靠"。

　　据说胡同35号是林则徐故居。胡同里比较安静，寻常朴素的色调充满了所有的空间。即便是历史里的荣华富贵，也早变成了普通老百姓的素朴无华。

小贴士

　　林则徐（1785—1850），1785年生于福建侯官，即今天的福州。于嘉庆年间中进士，担任过很多官职。1839年，被任命为钦差大臣，赴广州禁烟。同年6月3日，在虎门海滩开始了销烟行动。今天，"虎门销烟"被看作中国人民反帝斗争的伟大起点。

推荐等级：
★★★★

交通便利程度：
★★★★

乘车路线：
　　乘6、715路公共汽车至骡马市站下

Stop5
Former Residence 北半截胡同
谭嗣同故居 Of Tansitong

谭嗣同故居所在的浏阳会馆是北半截胡同的41号，也是现在胡同里仅存的一座建筑，院子现在已经是普通的民居，不过从那些饱经风雨侵蚀的屋檐和残存的几片窗棂上，仍然可以看出往昔的痕迹。

小贴士

谭嗣同，1865年出生于湖南浏阳。1895年，清政府和日本签定了丧权辱国的《马关条约》，康有为、梁启超发起"公车上书"后，谭嗣同来到了北京，加入维新派。

1898年9月，戊戌变法失败后，康有为、梁启超相继逃离虎口，而谭嗣同则坐等官兵前来，随后被杀于菜市口刑场，同时被杀害的维新派人士还有杨深秀、林旭、刘光第、杨锐、康广仁，史称"戊戌六君子"。

作为戊戌变法的见证人，谭嗣同那句"我自横刀向天笑，去留肝胆两昆仑"永远写在了中国人的心中。

推荐等级：
★★★★★

交通便利程度：
★★★★

乘车路线：
乘6、715、822路公共汽车至菜市口站下

Tei铁门胡同 Stop7
Tmen Hutong 施愚山故居

铁门胡同位于宣武区东北部，北起西草厂街，南至骡马市大街，因为胡同里曾有圈养老虎的铁栅栏而得名。

胡同内有宣城会馆，也就是清朝著名诗人施愚山的故居。故居的大门已经斑驳不堪，让人很难想像这里旧时的规模。年轻学子赶考的情景停留在数百年前，而时光的流逝仿佛让一切都逐渐衰老了。而一部《施公案》将他的名字永远记录在胡同的地名志上。

小贴士

施愚山(1619—1683)，名闰章，字尚白，号愚山，安徽宣城人，清初著名诗人，与宋琬齐名，有"南施北宋"之称。

推荐等级：
★★★

交通便利程度：
★★★★

乘车路线：
乘6、715、822路公共汽车至菜市口站下

北京逛街之三城记
东城富西城贵南城市民气之
南城情结

北京法源寺，
因同名书而生动

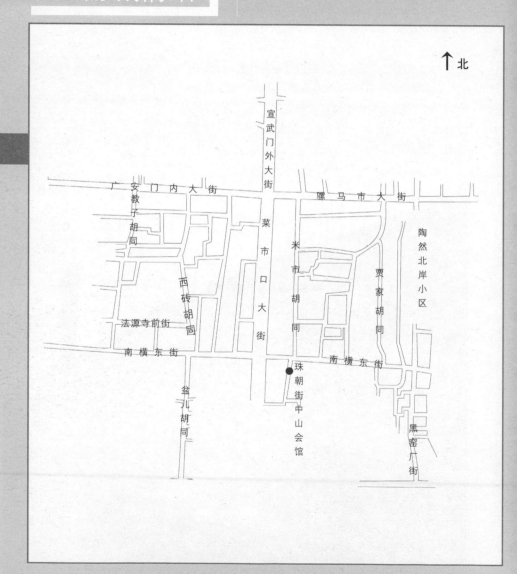

↑北

宣武门外大街

广安门内大街

骡马市大街

教子胡同

米市胡同

贾家胡同

陶然北岸小区

西砖胡同

菜市口大街

法源寺前街

南横东街

南横东街

盆儿胡同

珠朝街中山会馆

黑窑厂街

4 南城路线
关键地标：法源寺

法源寺
Fayuansi Stop1

小贴士

数年前，李敖的一本《北京法源寺》被出版商冠以"获诺贝尔文学奖提名"，古老的法源寺也因这本小说一下子成了知名景点。

推荐等级:
★★★★★

交通便利程度:
★★★★

乘车路线:
乘6、715、822路公共汽车至菜市口站下

法源寺的正门在法源寺前街上，法源寺前街因胡同在法源寺之前而得名。清朝时，称为白帽胡同、悯忠寺街，清末始称法源寺前街。

在法源寺前街可谓处处体现着历史和现实的交融，在法源寺门前的高大影壁前，卖香火的小贩正在悠闲地等待着生意的到来，一边是略显喧闹的尘世，一边又似乎是寂静的超凡之境。

说到法源寺的历史，可以追溯到唐代，唐太宗御驾亲征高丽，主要兵力先在幽州城内集结，然后由辽东至高丽，但却无功而返。太宗为了安抚军心，特意在幽州的东南角建筑寺庙，当时称悯忠寺，明朝的时候改称崇福寺，清雍正年间改称法源寺至今。

法源寺前后共六进，除了众多寺庙都有的山门、天王殿、大雄宝殿和观音殿，还有净业堂、大悲坛和藏经阁。东西两庑则是许多小寮房，栖居着中国佛教学院的僧伽。法源寺自古以来就以花木繁盛著称京师，有"香刹"之美誉。初春时节，院内参差的古木枯影配上迎春绽放的丁香，令人心旷神怡。

晨钟暮鼓中，中国佛教学院的早晚课每日照例进行。大堂内诵经之声肃穆庄严，寺外的广场上人群熙熙攘攘，两相映照，恍若隔世。

Xi zhuan [Stop2]
Xi西砖胡同Hutong

西砖胡同北起广安门内大街，南至七井胡同，相传因为有砖塔而得名。明朝时候，称为砖儿胡同，清末始称西砖胡同至今。西砖胡同以西是著名的古刹法源寺。

西砖胡同原为唐代幽州的东垣，这条胡同以北的广安门内大街也就是唐朝的檀州街。然而今天，古迹大多已经不复存在，只剩下法源寺这座千年古寺作为见证的地理坐标。

推荐等级:
★★★

交通便利程度:
★★★

乘车路线
乘604路公共汽车至南横街站下

Zhuchao jie 中山会馆
Stop3 珠朝街

珠朝街在清朝时，称为珠巢街，解放以后改为珠朝街。珠朝街是一条不算长的胡同，以普通的四合院为主，胡同的5号是中山会馆，有一座很气派的广亮式大门。

过去，珠朝街曾经集聚过很多名人，历史上著名的《京报》就创刊于此。今天"铁肩辣手"的《京报》已经远去，往事如烟，想当年孙伏园主编的《京报副刊》、鲁迅先生主编的《莽原》陪伴了《京报》的风风雨雨。聂耳在中山会馆住过，而他的名字和《义勇军进行曲》、《毕业歌》永在国人的心中铭记。

小贴士

聂耳，1912出生，云南玉溪人。他初中毕业考入云南省立第一师范学校，其间，曾参加进步学生运动，后前往上海，20世纪30年代初先后到联华、百代等影片、唱片公司工作。在创作中他极力塑造觉悟了的工人阶级的鲜明形象，体现无产阶级的革命斗争精神，并在中华民族存亡的紧要关头，唱出抗日救亡和民族解放的时代最强音。1934年，他在去欧洲、苏联学习途中路过日本，在藤泽市海滨游泳时，不幸溺水逝世。他先后创作了《大路歌》、《开路先锋》、《毕业歌》、《卖报歌》、《义勇军进行曲》等艺术性很高又广为传唱的歌曲。

推荐等级：
★★★★

交通便利程度：
★★★

乘车路线：
乘604路公共汽车至南横街站下

Zhuchao jie 中山会馆
珠朝街

Nan Stop4 hengdongjie 南横东街

南横东街位于宣武区东南部，东起北纬路，西至菜市口大街。历史上称为横街，年岁不可考，但是一条相当古老的街道。南横东街东部，过去称为城隍庙街，是由于有城隍庙的缘故。现在，古老的寺庙所在的地方，正在进行拆迁，准备建设新式的楼宇。胡同95号，过去为全浙会馆，龚自珍曾居于此处。109号则是曾国藩故居。

南横东街在这几年的改造中，逐渐失去了原有的模样，古老的痕迹越来越少，千篇一律的新式建筑越来越多让人不知是喜是忧，然而人们常说历史是需要依托的，不能只是空泛地出现在书本里面，古迹的保护形势依旧严峻。

推荐等级：
★★★

交通便利程度：
★★★

乘车路线：
乘343路公共汽车至虎坊路站下

H jieeeiyaochang Stop5 黑窑厂街

黑窑厂街位于宣武区东南部，北起南横东街，南至陶然亭路。明清时期，此地有官窑，且烧砖之土为黑色，因此得名。

金中都的东垣由此穿过，一直向北延伸。今天看来，北京的土壤不可能是黑色，可能是当时的砖土取自金中都的夯土城垣。

黑窑厂现在大多已是新式的住宅楼，只有胡同北部路东仍保存着一小片古老的建筑，那里便是建于清代的尼姑庵——三圣庵。

现在三圣庵已改建为一座素食餐厅。

推荐等级：
★★★

交通便利程度：
★★★

乘车路线：
乘40、741路公共汽车至陶然亭站下

北京逛街之三城记

东城富西城贵南城市民气之
南城情结

寻访老街人文故事

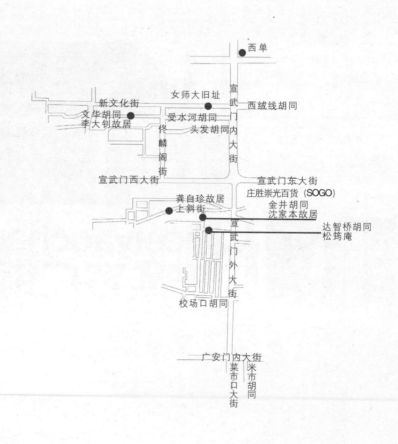

↑ 北

西单

宣武门内大街

女师大旧址　　西绒线胡同

新文化街

文华胡同　　受水河胡同
李大钊故居　　头发胡同

佟麟阁街

宣武门西大街　　　宣武门东大街

庄胜崇光百货（SOGO）

龚自珍故居　　金井胡同
上斜街　　　沈家本故居

达智桥胡同
松筠庵

宣武门外大街

校场口胡同

广安门内大街

菜市口大街　米市胡同

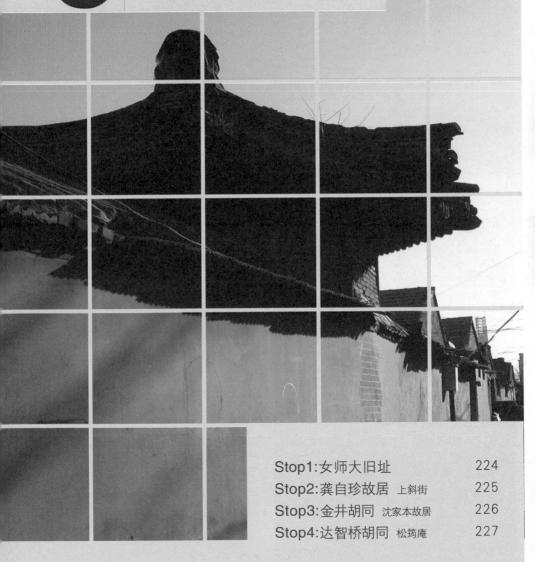

5 南城路线
关键地标：宣武门

W女师大旧址
Women's Normal Stop1
University Old House

推荐等级:
★★★★★

交通便利程度:
★★★

乘车路线:
乘7路公共汽车至新文化
街站下

在离宣武门不远的新文化街上，有一座很有韵味的学校，这便是鲁迅中学。

鲁迅中学这名字是前些年才改的，过去叫158中学。现在中学的建筑还是以前的风格，只不过重新整修过了。这里是国立北平女子师范大学的旧址。

走进中学的校园，是一座西洋风格的二层小楼，一楼的正门是个穿堂式的过厅，远远向里望过去，可以看到鲁迅先生的塑像。

鲁迅先生曾经在北平女子师范大学里任教，1926年3月18日，女师大的学生和师大、北大等学校的学生一起，来到天安门城楼前，集会抗议日本帝国主义侵犯我国主权，然后赴执政府请愿，在位于今天张自忠路的执政府门前，反动军警开枪射击，死伤200余人。其中包括女师大学生刘和珍、杨德群，惨案发生后，鲁迅先生奋笔写下了不朽名篇《记念刘和珍君》。

Former Residence
龚自珍故居 上斜街
Of Gongzizhen

Stop2

上斜街在明朝时称为西斜街，斜街过去是河流的故道，后来河水消失后便成为了道路，和一般斜街不同的是，这里应该是先有宅了后有的路，因为每一个院落都高出了路面很多，需要拾级而上。

上斜街 50 号是龚自珍故居，从院内的建筑上看，过去的规模是很大的，但现在只剩下窄窄的过道，作为院子的大门。"九州生气恃风雷，万马齐喑究可哀。我劝天公重抖擞，不拘一格降人材。"龚自珍这首名诗振奋了一代又一代中国学子。

小贴士

龚自珍（1792—1841），生于1792年，浙江仁和（今杭州）人。他出生于世代官僚文士家庭，27岁中举，38岁中进士。是清朝著名的诗人，也是中国资产阶级改良主义运动的光驱。龚自珍在北京的故居，还有西城区手帕胡同21号。

推荐等级：
★★★★

交通便利程度：
★★★★

乘车路线：
乘 102、105、109 路公共汽车至宣武门站下

J金井胡同Hutong
injing 沈家本故居 Stop3

金井胡同与上斜街和达智桥胡同相接。胡同里有沈家本故居，过去宅院前有名为"金井"的一口水井，这条胡同便由此得名。胡同非常窄也非常短，在胡同北端有一座二层的中式小楼，周围则是低矮的普通民居。胡同虽然不长，但从一头向另一头望去，仍然会有种幽深的感觉。

金井胡同1号是沈家本故居，院落北面是座二层小楼，名为"枕碧楼"。沈家本是近代中国法学界的第一人，他融会中西方思想，修改清朝律例，制订出中国近代史上的第一部刑法和第一部商法。然而，虽然沈家本努力改革探索，但由于历史时代的局限，很多方案并没有成为现实。

小贴士

沈家本（1840—1913），浙江吴兴人。于光绪年间中进士，历任知府、刑部侍郎、法部侍郎等职，辛亥革命以后，曾出任内阁法部大臣。他是近代中国著名的法学家，清朝末年法制改革的倡导者。戊戌变法失败以后，清朝逐渐走向没落，1900年，八国联军入侵北京，清政府的封建统治陷入了更加困难的境地，此时，清政府被迫修订法律，而沈家本就是当时参与修订法律的大臣之一。

推荐等级：
★★★★

交通便利程度：
★★★★

乘车路线：
乘102、105、109路公共汽车至宣武门站下

Dazhiqiao 达智桥胡同 松筠庵 Stop5

达智桥胡同，东起宣武门外大街，西至校场五条，最早称鞑子桥，后以谐音命名为达智桥。所谓鞑子，是旧时汉人对蒙古人的蔑称，此地相传为蒙古军队驻扎练兵的场所。

宣武门外，地处外城，是过去寻常百姓主要居住所在。现在，宣外这片地方，新式的大厦和宽阔的道路取代了过去成片的四合院和小街，用华丽或者壮观来形容的确合适，但对于古老的北京而言，总又觉得失去了许多内里的韵味。

在庄胜崇光百货的西面，还保存着一片四合院，老宅子和鲜艳的楼宇被一条马路相隔开来，有种特别强烈的视觉反差。

达智桥胡同就在这片老房子之间，顺胡同向西走去，就可看到著名的松筠庵，也就是杨椒山祠。祠堂的山门现被改建成了小屋，成了一个卖日杂用品的商铺，祠堂也已是普通的民居。

小贴士

松筠庵是明朝爱国志士杨继盛（1516—1555）的故居。杨继盛，字仲芳，号椒山，河北考城人，明嘉靖年间进士，在兵部武选司上任，因上疏《请诛奸臣疏》，弹劾权奸严嵩，被诬陷下狱。行刑前有人献蛇胆壮色，他严拒，并说："椒山自有胆，何蚺蛇胆为。"

松筠庵还是1895年康有为领导的"公车上书"发起地。

推荐等级：

★★★★

交通便利程度：

★★★★

乘车路线：

乘102、105、109路公共汽车至宣武门站下

北京逛街之三城记

东城富西城贵南城市民气之

南城情结

老百姓的美食乐园

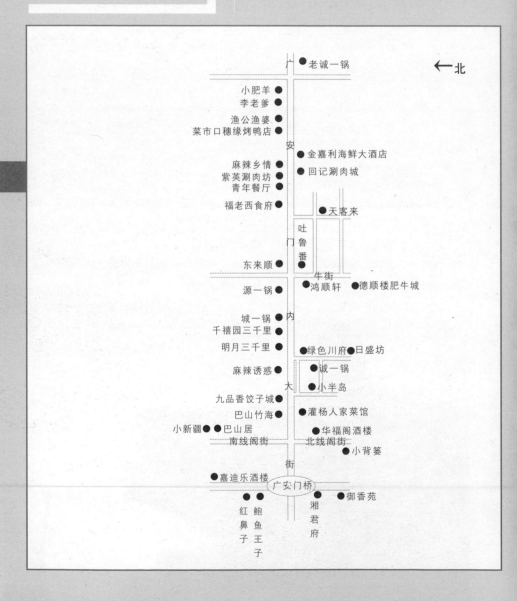

← 北

广安门内大街

- 老诚一锅
- 小肥羊
- 李老爹
- 渔公渔婆
- 菜市口穗缘烤鸭店
- 金嘉利海鲜大酒店
- 麻辣乡情
- 回记涮肉城
- 紫英涮肉坊
- 青年餐厅
- 福老西食府
- 天客来
- 吐鲁番
- 东来顺
- 牛街
- 源一锅
- 鸿顺轩
- 德顺楼肥牛城
- 城一锅
- 千禧园三千里
- 明月三千里
- 绿色川府
- 日盛坊
- 麻辣诱惑
- 诚一锅
- 小半岛
- 九品香饺子城
- 灌杨人家菜馆
- 巴山竹海
- 小新疆
- 巴山居
- 华福阁酒楼
- 南线阁街
- 北线阁街
- 小背篓
- 嘉迪乐酒楼
- 广安门桥
- 御香苑
- 红鼻子
- 鲍鱼王子
- 湘君府

6 南城路线
关键地标：广安门美食街

Stop1
Hot Temptation
麻辣诱惑

麻辣诱惑的川菜追求的是正宗口味，无论是水煮鱼还是麻辣田螺，都让喜爱川菜的人们痴迷。这里也不单纯以辣取胜，这里的各种"创新川菜"，也能让您吃得满意。麻辣诱惑的生意很火爆，建议您提前预订，这里的服务也挺周到，会在就餐中及时地为您换碟和续茶，甜点还可以点半份。

地址：
　　宣武区广安门内大街临81号(近菜百新世纪商场)

电话：
　　63040426

特色菜肴：
　　水煮鱼、蟹黄豆腐、毛血旺、香芋卷、土豆泥、盆盆虾、酸梅汤

人均消费：
　　60元

推荐等级：
　　★★★★★

环境：
　　★★★★

交通便利程度：
　　★★★★

乘车路线：
　　乘6、741路公共汽车至广安门站下

Lilao
die李老爹 Stop2

地址：
　　宣武区广安门内大街临45号

电话：
　　63167536

特色菜肴：
　　鱼头火锅、香辣蟹、黄辣丁

人均消费：
　　50元

推荐等级：
　　★★★★

交通便利程度：
　　★★★★

环境：
　　★★★★

乘车路线：
　　乘6、822路公共汽车至菜市口站下

　　说到李老爹，就不能不说它的三大招牌菜——鱼头火锅、香辣蟹和黄辣丁。这里的鱼头火锅选料非常讲究，所用鱼头都是肉多刺少的花鲢鱼黄辣丁是这里的又一看家菜，所谓"黄辣丁"其实是蜀地特产的一种鱼。李老爹的黄辣丁全部空运入京，美味新鲜，吃的时候要从尾部吃起，一直至汤入口，口感非常好。再来说说香辣蟹，这里的蟹用料讲究，调料也是多年的功夫料，红彤彤的颜色加上鲜香的味道不知吸引了多少食客。

Y渔公渔婆 Restaurant
Yugongyupo Stop5

渔公渔婆是北京比较著名的一家大众海鲜餐馆，主要经营大连海鲜和广东粤菜海鲜。这里的海鲜品种丰富，口味清淡，从清汤到小炒一应俱全，海鲜素烩和鱼浓汤金菇肥牛这样的特色菜也非常受欢迎。店里还推出了"海鲜平价超市"，客人在这里可以自选生猛海鲜，保证新鲜又实惠。

地址：
宣武区广安门内大街47号 —1

电话：
63029991 63026493

特色菜肴：
龙虾三吃、蒸扇贝

人均消费：
80元

推荐等级：
★★★★

交通便利程度：
★★★★

环境：
★★★★

乘车路线：
乘6、822、715路公共汽车至菜市口站下

H皇城老妈
Huangcheng laoma HotPot Stop6

地址：
北京市宣武区长椿街3号

电话：
63173369、63173361

特色菜肴：
滋补火锅

人均消费：
100元

推荐等级：
★★★★★

交通便利程度：
★★★★

环境：
★★★★

乘车路线：
乘10路公共汽车至长椿街站下

皇城老妈就是成都火锅的代表，在完善口感的同时讲究营养与滋补。从口味、做法到就餐环境都相当考究，特别要向大家推荐这里的龙马童子鸡汁锅和五鱼精汤锅等滋补火锅，锅的底汤都是按照营养成分精心搭配制成，再根据不同食物的滋补功用不同而入汤烹制，入口鲜美，口感醇厚，药补与食补结合得恰到好处。

来这里还一定要品尝一回老妈牛肉片和鸡肉片，入锅两三分钟就可食用，吃起来肉质鲜嫩，配着鲜汤更加美味。在吃火锅的同时，向大家特别推荐皇城老妈自酿的"老妈红"和"三月黄"，这两种滋补酒甘醇清冽，佐餐非常合适。

老诚一锅 Hot Pot
Laocheng Hot Pot
Stop3

　　老诚一锅一直以口味微辣的浓汤羊蝎子火锅吸引着众多的食客，短短几年下来，在京城已是遍地开花。

　　老诚一锅火锅的汤底很有讲究，在原清汤的基础上加入干姜、砂仁、丁香、白芷、生地、草果等30多种纯天然中药材香料，精心熬制，难怪这浓汤如此诱人。这里的羊蝎子原料选用的是内蒙古锡林格勒盟和乌兰察布盟两地区的五六个月大的羔羊，经泡、挑、烧、煨、焖等十几道工序后出锅，加上特制的调料，味道微麻微辣，不柴不腻，既保存了原清汤火锅的营养精华，又迎合了现代人的口味。约上几个朋友来这里就着啤酒涮涮这羊蝎子火锅，感觉真的是非常过瘾。

地址：
（广外店）：
宣武区广安门外大街363号
（菜市口店）：
宣武区骡马市大街264号

电话：
63432733(广外店)
83514975 83514977（菜市口店）

特色菜肴：
羊蝎子火锅、宽粉

人均消费：
35元

推荐等级：
★★★

交通便利程度：
★★★

环境：
★★★

乘车路线：
（广外店）乘6、822路公共汽车至达官营站下，（菜市口店）乘6、822路公共汽车至菜市口站下

Donglaishun Stop4
东来顺 Restaurant

东来顺涮羊肉堪称一绝,清真炒菜和小吃也是口味一流。

东来顺涮羊肉讲究的是"肉要嫩,切要薄,汤要清,酱要好,火要旺"。这里的羊肉来自内蒙古锡林格勒盟,都是生长一年半到两年的小尾黑头绵羊,肉质纯正、味道鲜美。东来顺在火锅中加入口蘑汤,在这种汤里涮过,羊肉会有种特殊的鲜香味。东来顺在佐料上也下了一番功夫,用天然酱油、精制芝麻酱、酱豆腐、绍兴黄酒等原料,配制出独特的风味。另外,东来顺的糖蒜是自制的,白嫩鲜亮,口感又脆又香。

除了涮肉,店里还有多种清真炒菜,像它似蜜、鸡蓉银耳、烤羊腿等,都是顾客喜爱的菜品。在这儿您还可以尝尝烤肉,在大圆桌中间架上一个烤肉架子,再叫一瓶好酒,边喝酒边烤肉,很有点豪放的感觉。

地址:
宣武区广安门内大街临63号(牛街路口)

电话:
83168911

特色菜肴:
上脑羊肉、 香辣鸭心,、红烧牛尾、扒羊肉条、炸羊尾、焦熘肉片、鸡蓉鱼翅、扒羊肉条、翡翠鱿鱼、焦熘鱼片和蒜香鸭

人均消费:
80元

推荐等级:
★★★★★

交通便利程度:
★★★★

环境:
★★★★

乘车路线:
乘6、822、715路公共汽车至牛街站下

北京逛街之三城记

东城富西城贵南城市民气之

南城情结

京城最大的小区美食街

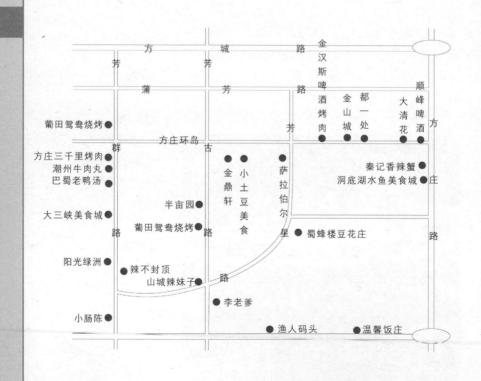

↑北

方城路

金汉斯啤酒烤肉

芳

蒲芳

顺峰啤酒

金山城

都一处

大清花

方

葡田鸳鸯烧烤●

方庄环岛

芳

古

方庄三千里烤肉●
潮州牛肉丸●
巴蜀老鸭汤●

群

金鼎轩

小土豆美食

萨拉伯尔星

秦记香辣蟹●
洞底湖水鱼美食城

庄

半亩园●

大三峡美食城●

葡田鸳鸯烧烤●

路

路

蜀蜂楼豆花庄

路

阳光绿洲●

辣不封顶●
山城辣妹子●

路

●李老爹

小肠陈●

●渔人码头   ●温馨饭庄

7 南城路线
关键地标：方庄美食街

Little Potato 小土豆

Stop1

　　"小土豆"源于东北，在当地相当有名，据说有"美食够不够，沈阳小土豆"的说法。其实小土豆本是东北地区特产的一种土豆，它个头比一般土豆小，但土豆的清香和营养价值却非常高。"小土豆"餐厅里的招牌菜——酱小土豆，采用的就是东北特产的这种土豆，配上当地民间特有的烹饪技巧，既有东北大碗菜的特色，又有超乎寻常的鲜美口感。

　　"小土豆"在北京有好几家分店，都是传统的中式装修和中式的经营方式，顾客可以亲自挑选新鲜的材料，店里还有服务员推着手推车让您选择凉菜和点心。除了当家的酱小土豆，这里的土豆柿子炖牛肉也非常有特色，又浓又香的汤汁，烂熟的牛肉配上香香的土豆和酸酸甜甜的柿子，让人垂涎。这里的传统东北菜也非常可口，每到用餐时间，"小土豆"里都是门庭若市，热闹非凡。

地址：
丰台区方庄芳城园蒲方路甲12号(方庄环岛家乐福超市对面)

电话：
67629084　67619965

特色菜肴：
酱小土豆、家常炖黄鱼、小鱼小虾焖海兔、牛肉炖土豆柿子

人均消费：
40元

推荐等级：
★★★★

交通便利程度：
★★★★

环境：
★★★★

乘车路线：
乘122、721路公共汽车至方庄站下

Duyi chu
都一处

Stop2

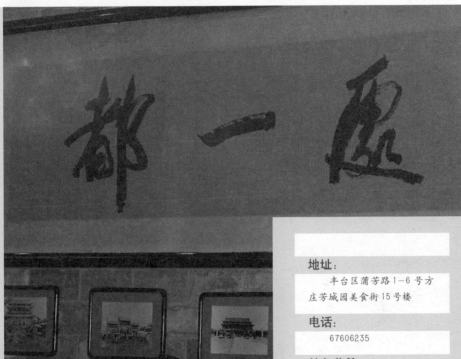

地址：
丰台区蒲芳路1—6号方庄芳城园美食街15号楼

电话：
67606235

特色菜肴：
烧麦

人均消费：
45元

推荐等级：
★★★★★

交通便利程度：
★★★★

环境：
★★★★

乘车路线：
乘122、721路公共汽车至方庄站下

都一处建于乾隆三年（1738），是由晋商王瑞福创建的，当时店名为"王记酒铺"，后来乾隆皇帝赐名并亲笔题写了沿用至今的大名——"都一处"。

先来说说都一处的头牌——烧麦，爱吃烧麦的人都讲究第一口吃下去咬破皮，尝到馅儿，要是皮太厚或太硬都会影响味道。都一处的烧麦上桌时就像一个个透明的小果子，色泽光亮、皮薄味美。特别推荐蟹肉馅和韭菜馅的烧麦，一口咬下去香味四溢，美味爽口。急着回家的食客还可以买"外卖"带回去。

Jin 金山城 Hot Pot
shancheng Stop3

地址：
丰台区方庄芳城园三区
16号楼105室

电话：
67610145 67686369

特色菜肴：
重庆辣子鸡、盐煎肉、泡椒兔肉、花椒牛蛙、酸辣鲶鱼、霸王豆花、酸菜鱼、樟茶鸭、川北凉粉、重庆小吃等

人均消费：
66元

推荐等级：
★★★★

交通便利程度：
★★★★

环境：
★★★★

乘车路线：
乘122、721路公共汽车至方庄站下

重庆火锅是火锅中的豪放派，讲究火爆麻辣，金山城就是重庆火锅的典型代表。金山城火锅采用的是正宗的重庆火锅锅底，底料讲究，配菜也相当新鲜。金山城各大分店的生意都非常火爆，为了照顾各地的食客，这里的火锅有微辣、中辣、超辣三种等级供您选择，您可以按照自己的口味量力而为。除了火锅，这里的重庆菜也很受食客的青睐。点一盘花椒牛蛙，上桌时花椒的香味就扑鼻而来，刚入口时一股子麻味相当刺激，但随后的鲜味又让您停不下筷子。霸王豆花也是这里好吃又好看的一道菜，豆花的清香配上麻辣的调料，香辣又不失清爽。

半亩园餐馆 Restaurant
Banmu yuan

　　半亩园来自台湾，经营的是各种台式清粥小菜。许多出门在外的人都偏爱半亩园这样的中式快餐：在这里吃得不贵，却很舒心。半亩园在北京的分店很多，大多装饰得清新、简朴，颇有些闹中取静的味道。这里的饭菜简单、素净，味道也不错。其中红豆粥非常有特色，里面没有米，基本上都是红豆沙，这里的熏鱼也是少有的美味。很多人来到半亩园还总喜欢点一篮这里的特色"抓饼"，金黄酥脆，非常可口。如果要和两三好友一起吃个便饭的话，半亩园是不错的选择。

地址：
丰台区方庄芳群园2区28号楼一层

电话：
67607823

特色菜肴：
台湾菜 中式快餐

人均消费：
66元

推荐等级：
★★★★

交通便利程度：
★★★★

环境：
★★★★

乘车路线：
乘122、721路公共汽车至方庄站下

S 顺峰 Restaurant
hunfeng Stop5

地址：
丰台区方庄路 5 号(蒲芳路东口)

电话：
67676368

特色菜肴：
甲鱼炖翅、蟹粉鱼翅球

人均消费：
380 元

推荐等级：
★★★★★

交通便利程度：
★★★★

环境：
★★★★

乘车路线：
乘 122、721 路公共汽车至方庄站下

　　顺峰称得上是北京粤式海鲜餐馆的"旗舰"。这里的海鲜选料一流，菜品也非常精细，传说当年要在北京开粤菜店的，都要先到顺峰来尝尝味儿，可见顺峰粤菜在北京的领军地位。

　　"甲鱼炖翅"是顺峰的招牌菜，甲鱼有"滋阴补养，培元固本"的功效，鱼翅也是海鲜中的极品。顺峰"甲鱼炖翅"，精选江南一带名贵的淡水甲鱼，现宰现炖，再配上各类滋补药材，肉嫩汤鲜，营养价值也相当高。顺峰的"蟹粉鱼翅球"也是一绝，把新鲜的青虾加工制成球状的虾胶，随后再在虾胶上滚上一层鱼翅，最后将制作好的"鱼翅虾球"放在凉瓜上入锅烹制，待虾球烹熟出锅后，浇上浓浓的蟹黄汁，"蟹粉鱼翅球"就算完成了。这道"蟹粉鱼翅球"富含多种营养成分，卖相美观，还兼有海鲜和凉瓜的多重风味，口味鲜美无比。

　　顺风的就餐环境非常气派，包间相当有排场，非常适合商务就餐和宴请宾客。好几个服务员围着餐桌服务，态度真是没话说。在这里点上几道丰盛的海鲜大菜，喝上几杯好酒，的确是一种高层次的享受。

salaboer
萨拉伯尔 Stop6

"萨拉伯尔"来自韩国，其意为"早晨的太阳最先照到的神圣土地"，它是韩国传统美食料理的杰出代表，也被认为是北京最高档最正宗的韩式餐厅。

萨拉伯尔从装修到服务都能让人体会到韩国文化的特点，大方的陈设，敞亮的厅堂，贴心的服务。在菜品上，萨拉伯尔秉承了韩国本地料理的独特风味，以高级脱酸牛肉为主料，牛肉经过速冻处理，肉质细嫩鲜美，肥而不腻，颜色柔和美观。韩国菜讲究以肉类、时鲜蔬菜和韩国传统调料的完美融合，口味香辣鲜嫩，还具有很高的营养价值。

烤牛排骨是萨拉伯尔的一道名菜，先将牛排骨肉用韩厨花刀改为带状，再用韩式调料腌制，并由专业人士上桌烧烤。听着滋滋的烧烤声，嗅着袅袅肉香，再配上生菜蘸辣椒酱，这样的美味诱惑又有谁能抵挡呢？萨拉伯尔的生拌牛肉也很受欢迎，使用经过脱酸处理的"黄瓜条"（其实是牛肩胛处的肉，每头牛只有两块），再经特殊的速冻保鲜处理，配上生菜、梨丝、青椒、红椒等时鲜蔬菜，放入蒜沫、柠檬汁、黑胡椒粉，以及韩国传统酱料，再磕入生鸡蛋，然后拌制成菜。色鲜味美，质地柔嫩。第一次品尝的朋友可能不太习惯，但尝过之后一定会被这独特的美味所打动。

在服务上，萨拉伯尔称得上是认真严谨，滴水不漏。不论是进店就餐还是点餐、沏茶，服务员展示的都是一整套的韩式礼仪。就餐时，店里身着韩国民族服装的专业人员会进行现场烹饪，一边操作，还一边介绍烹饪要点及口味特点，让顾客既能品味到韩国美食的独特口味，更体味到韩国独特的烹饪技艺和餐饮文化。

贴心的服务、美味的菜肴再配上韩国特色的美酒，这就是萨拉伯尔给大家带来的美食享受。

地址：
丰台区方庄芳星园2区6号贵友大厦5层

电话：
87679066

特色菜肴：
烤牛排骨、生拌牛肉、烤排骨、烤牛舌、烤牛肉、火锅面、烤五花肉

人均消费：
120元

推荐等级：
★★★★★

交通便利程度：
★★★★

环境：
★★★★

乘车路线：
乘122、721路公共汽车至方庄站下

北京逛街之淘宝地图 | 京城淘宝攻略

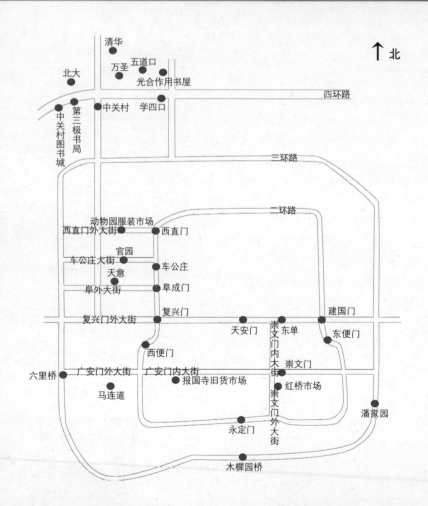

↑北

清华
万圣　五道口
北大　　　　光合作用书屋
　　　　　　　　　　　　　四环路
中关村　学四口
第三极书局
中关村图书城
　　　　　　　　　　　　三环路

　　　　　　　　　　　　二环路
动物园服装市场
西直门外大街　　西直门
　　　官园
车公庄大街
天意　　　车公庄
阜外大街　　阜成门
复兴门外大街　复兴门
　　　　　　　　天安门　崇东单　建国门
　　　　　　　　　　　文　　　　东便门
　　　　　　西便门　　　门
　　　　　　　　　　　内　崇文门
六里桥　广安门外大街　广安门内大街
　　　马连道　　报国寺旧货市场　红桥市场
　　　　　　　　　　　　崇文门外大街
　　　　　　　　　　　　　　　潘家园
　　　　　　　　　　永定门
　　　　　　　　木樨园桥

淘宝路线

关键词：书、古玩、茶、时装

Stop1

潘家园淘宝
Panjiayuan
Market

北一京
逛街地图
WALKING
IN BEIJING

人说外国人到北京"游故宫，登长城，吃烤鸭，逛潘家园"，几年时间，潘家园旧货市场已经成为北京市的一处知名人文景观。

潘家园旧货市场位于北京三环路的东南角，是全国最大的旧货市场。市场内有3000多个摊位，经营各种文物书画、文房四宝、瓷器及木器家具等，另外还有许多少数民族在这里经营一些民族产品。

每逢周末，潘家园市场开市，众多国内外游客便纷至沓来。无论是寒冬还是酷暑，潘家园市场的仿古红墙内始终是人头攒动。潘家园旧货受欢迎的原因一

小贴士

潘家园市场开放时间：古玩区为每天开放，工艺品大棚（地摊）区为周六、周日全天开放。潘家园还是闻名全国的旧书市。在这里经常能够淘到绝版图书和并不常见的外文书，可谓爱书人的乐园。

是在于"旧"，二是在于"奇"。一座旧钟、一副老扇骨、一个旧日房屋里的雕刻窗棂，处处透着沧桑、久远的韵味。各种民间奇货、古玩工艺品，还有古籍字画、旧书刊、皮影脸谱、"文革"遗物及不同时代的生活用品里，只要是有心人，总能淘出些难得的宝贝。

潘家园的常客中，有古玩商人，有古玩爱好者，有很多慕名而来的国内游客，还有许多被中国民族文化吸引的老外。在现代文明的大潮下，怀旧的风尚却在这个市场里大肆蔓延着，无论是随便走走看看的，还是淘宝贝谈买卖的，人人都陶醉于这怀旧、民俗的氛围之中，乐此不疲。

地址：

北京市朝阳区潘家园路华威里18号

推荐等级：

★★★★★

交通便利程度：

★★★★★

乘车路线：

乘300、300快、957支、368、954路公共汽车至潘家园桥北站下

Panjiayuan Market 潘家园淘宝

报国寺旧货市场
Baoguosi
Market Stop2

地址：
宣武区广安门内大街路北

推荐等级：
★★★★★

交通便利程度：
★★★★

乘车路线：
乘6、19、53、109路公共汽车至白广路北口站下

报国寺位于北京市宣武区广安门内，它始建于辽金时期。

如今修葺一新的报国寺被开辟为北京古文化旧货市场，在这里旧书老刊、连环画、票卡、烟标等应有尽有，经营也已形成规模。常年开放的"世界钱币邮票馆"、"烟标火花馆"、"连环画馆"等专业展馆吸引着不少中外游客。因品种齐全，如今的报国寺文化收藏品市场被称为"收藏爱好者的交流圣地"。

在报国寺市场，常常都能看到蹲在地摊前读书的身影，他们捧着古旧的书本，聚精会神地翻开一页页泛黄的书页，全然不顾周围人群的存在。很多爱好收藏的人聚集在这里也大多是为了"以藏养藏"、"以藏会友"，聊到收藏这个话题，第一次见面的陌生人，也仿佛一下子成了故友。和其他旧货古玩市场相比，报国寺的环境更加古朴清幽，寺内的毗卢阁、御制碑等还都是北京市重点保护文物，沐浴着这座南城古庙中的历史气息，淘淘旧书古董，还真是不一般的享受呢。

Stop3

红桥市场 ·Pearl Market
Hongqiao

地址：
崇文区天坛东路46号

推荐等级：
★★★★★

交通便利程度：
★★★★

乘车路线：
乘39、25、43、610、813、814、723路公共汽车至法华寺站下

红桥市场是华北最大的水产品集散地、全国最大的珍珠集散地，外国游客喜欢把它称为Pearl Market。上世纪70年代末的红桥，只是一个路边市场，1995年红桥商厦落成，此后10年，这里的水产业越做越火，来这里购买珍珠的中外游客更是络绎不绝。

走近红桥市场，来自地下一层的水产气味让你无法忽视它的存在。对于单纯逛街的人而言，似乎不太乐意接受那种气味。但对那些喜欢吃海鲜的人而言，这里可是天堂。目前红桥还是国内最大的珍珠集散地，几十元、数百元一串的珍珠，在这里不是一串串而是一捆捆地卖。银白的、粉红的、黑的、紫的、蓝的，码在货架上五颜六色，分外惹眼。

无论生意怎样红火，红桥的商家还是从几十元的小本生意到几十万元的大买卖都照做，因此老百姓爱上了红桥，因此这里也实实在在是老百姓的"平民市场"。

Stop4
Beijing 动物园服装市场
Zoo Market

地址：

西城区西直门外大街132号

推荐等级：

★★★★

交通便利程度：

★★★★★

乘车路线：

乘27、107、111、347、360、808路公共汽车至动物园站下

动物园当然是动物们的栖息之地，但对于北京的购物爱好者们来说，动物园也意味着北京最大的服装批发市场。动物园服装市场的具体位置是在北京展览馆往西，动物园往南的区域里。这里看起来地方不大，却大大小小地分布了五六家大型服装市场。动物园因为主要以批发为主，所以一般在凌晨5到6点就开始营业，下午3到4点东鼎南面的三个市场就停止营业了，所以最好上午10点到下午2点左右去。因为每个店面都很小，鲜有可以试衣服的地方，在掏钱之前一定要看准看好。周末市场客流量大，这时特别要注意看紧手机、钱包，注意防盗。

东鼎服装市场

东鼎的经营规模是动物园地区最大的，这里的服装主要以零售为主，价钱不是很便宜，但其中经营外贸服饰的小店，衣服款式是相当新潮的。另外，因为东鼎规模大、楼层高，很多人还把它视作在动物园淘衣服的一大地标。

众合市场

众合市场算是动物园批发市场的元老了。这个市场分为两层楼，一层以衣服为主，二层以鞋为主，另外还有一群销售韩国服饰的商家也聚集在二层，喜欢韩国服饰的朋友不妨去看看。众和市场里的衣服有一部分是外贸货，还有好多是不知名的牌子，但是流行度绝对一流，淘来也绝对可以让你风光无限。到这儿淘东西一定要清楚时下流行什么，崇尚什么，否则你可能会眼花缭乱，不知所措。作为动物园第二繁华的服装市场，在这里你绝对可以享受到淘衣的乐趣，人杂需注意保管好自己的财物。

Tianyi 天意 Market

Stop5

地址：

西城区阜外大街259号

推荐等级：

★★★★

交通便利程度：

★★★★

乘车路线：

乘846、855、121、103路
公共汽车至阜外西口站下

北一京
逛街地图
WALKING
IN BEIJING

　　天意小商品批发市场汇集了来自全国各地的各类小商品，在北京各大小商品市场中，"天意"称得上是名气最大、人气最旺的。

　　很多人都说逛天意会上瘾，的确如此，天意的商品种类非常齐全，从日用五金到服装鞋帽，生活中能用到的，在天意几乎都能够买到。天意里聚集了很多批发商，商品的价格自然也很公道，就算是散客，只要诚心买、会侃价，那就一定能用最少的钱买到最满意的东西。

　　自从"天意新商城"盖起来以后，天意的购物环境和出售的商品都上了一个档次，明亮的殿堂，清爽的店铺柜台，除了休息日摩肩接踵的人群之外，逛天意的感觉甚至比逛市中心那些豪华的百货商厦更加舒服惬意。

　　对很多本地市民来说，天意是采购各种日常生活用品的好地方，这里的生活用品比超市里品种多，价格也便宜很多。在大商场里看中的牌子，还常常能在天意找到一模一样的批发货，质量有保障，价格却可能相差一半还多。年轻人都喜欢到天意来淘各种饰品和小礼品，在天意，无论是最新潮的发饰，还是各类徽章、手机挂件，花花绿绿的新奇小玩意，保准让你看得眼花缭乱。

G官园商品批发市场
uanyuan

地址：

西城区车公庄大街丙4号

推荐等级：

★★★

交通便利程度：

★★★★

乘车路线：

乘地铁至车公庄站，或乘
107、118、701路公共汽车至
官园站下

官园商品批发市场成立于1998年，算是北京老字号的批发市场了。经过八年的运作，已相当成熟。有空就到官园商品批发市场去转转、去淘宝，现在已经成了很多市民日常生活的一部分。

官园市场一共三层，一层以服装为主打，主要面向时尚的年轻人。二层摆满了各种各样的小商品。这里的小饰品、家居用品很丰富，质量也很过关，喜欢家庭装饰的朋友不妨来看看。

和北京其他几家批发市场相比，官园的购物环境比较整洁，每个摊点上方伸出一块明显的玫瑰红的标志牌标着它的编号。官园的每一层还设有一个投诉处，还可以看到市场提醒顾客注意的可能出现假劣商品的品牌商标，来这里购物，有乐趣也有保障。

中关村电脑卖场 Stop7
Zhongguancun IT Market

说到北京中关村，人们很容易就能联想到高科技企业，大型 IT 卖场，还有来自五湖四海的科技精英和高科技领域的无数淘金者。

对北京众多的 IT 爱好者而言，海龙、鼎好、太平洋三大卖场是他们选择电脑配件的主要场所，这三大电子市场，几乎每天都是人流滚滚，摩肩接踵。此外，由于海龙和太平洋门前都有不小的广场，各种户外促销活动频繁在此上演，尤其是周末，中关村更是热闹非凡。

海龙电子城

海龙电子城是现在中关村地理位置最为优越的一个卖场，它地处中关村核心地带，一层到六层都是 IT 卖场，由于卖场建成较早，在一些现代化设施上不如新一代卖场，

地址：
海淀区中关村大街1号

推荐等级：
★★★★★

交通便利程度：
★★★★★

乘车路线：
乘47、302、332、320、323、732、801、826路公共汽车至中关村站下

但由于它前几年凝聚了很强的人气，加上方便的交通及丰富的产品，在顾客心中依然占据着很重要的地位。

海龙电子城主要经营电子计算机及外围设备、耗材等，在六层开辟了数码专卖区，把原来分散在各处的数码产品经销商集中在一起，方便用户的选购。一直以来海龙电子城就是以电脑配件为特色，在这里，云集了各种电脑配件产品最重要的渠道代理商，所以DIY用户购买商品尽可放心。

鼎好数码广场

鼎好数码广场算是中关村新型卖场的一个代表，由于设计较为周全，所以在硬件设施上相当全面，在购物的舒适度上，鼎好可以在几个卖场中排首位。虽然在地理位置上来说，鼎好正好位于海龙后面，相对闭塞了一些，不过由于硬件设施的优势，还是吸引了大批商家在此安家落户，产品丰富性一点也不逊于海龙，所以每天这里也是顾客盈门。

太平洋数码电脑商城

太平洋数码电脑商城算得上是中关村老字号的IT卖场了，虽然面对来自鼎好等新兴电脑商城的挑战，但太平洋的地位却仍然很难被动摇。

如今的太平洋数码电脑商城里，DIY电脑配件方面的商品和经销商已经越来越少，整个商场正在向笔记本、数码方向转变，数码产品也成为太平洋电脑市场新的特色。

Z Books Building
Zhongguancun
中关村图书大厦 Stop8

北京
逛街地图
WALKING
IN BEIJING

地址：
海淀区北四环西路68号

推荐等级：
★★★★

交通便利程度：
★★★★

乘车路线：
乘332支、302、16支944支至地震局站下车，或乘47、735、751、718、982、983、740、840、835、运通110至海淀站下

位于中关村核心地带，邻近北京大学的中关村图书大厦，以全面的图书种类，优越的购书环境被读者们视为购书、休闲的一处"精神家园"。

中关村图书大厦的图书种类非常齐全，还经常根据读者的需求不断补充调整品种，一些在其他书店买不到的书，都可以在这里见到。反映社会科学、自然科学最新研究成果的学术专著，满足高等院校师生科研、教学需要的各类辅导用书，以及高档次的人文读物、儿童读物、各类进口原版图书和音像制品，成为中关村图书大厦的畅销品种。

风入松 Book Store
Fengrusong
Stop9

地址：
海淀区海淀路46号北大南门东侧

推荐等级：
★★★★

交通便利程度：
★★★★

乘车路线：
乘332、320、718、808、302、716路公共汽车至中关村站下

风入松，意指风过松林，是宋代的词牌名。1995年，风入松书店由几位学人开设。"人，诗意地栖居"这句话就挂在书店入口处的走廊一侧。

风入松是人文社科等类别书籍的综合店，书种以人文哲学类为主，其他类别包含哲学、历史、文学、艺术等。这里也是各种与书有关的活动不定期举行的场所：书评会、书友沙龙、签名售书、学术研讨会、学术演讲及作者与读者座谈等，总能吸引众多的高校老师和学子。

Stop10

Disanji 第三极书局 Book Store

　　号称全球最大全品种中文书店的"第三极书局"是一家营业面积将近两万平方米的"巨无霸"书店。它位于中关村西区"第三极文化主题商场"的4至7层，书店内有30万种图书和10万种音像制品，这几个数字超过了中国目前任何一家书店。

　　第三极书局按楼层分设为时尚、人文、科教、生活四大主题，每一层又有专卖店式的小主题书店，像上海书店、西藏书店、台港书屋等特色区域都在书局中有所展现。书局里"台港书屋"内出售的书籍都是台湾、香港的原版书，制作精美，富有特色。

　　在第三极书局里，还可以看到很多人性化的服务，随处可见的小马扎，还有便笺纸和铅笔，为读者读书、做抄录提供了方便。店内还专门准备了育婴室和婴儿推车等。在商场内部和外面还有公共艺术空间，不时会邀请一流艺术家来此进行艺术展览。此外，在8层会议中心，读者还可以经常听到精彩的讲座，观看到最新的影片。

　　和其他大型书店不同，第三极书局别出心裁地提出了"创意产业基地"的定位，以图书为主力，集娱乐、教育、健体、旅游、商务于一体。在第三极文化主题商场里，咖啡厅、茶艺室、西餐厅、素食餐厅、肯德基，等等，可谓应有尽有，不但为人们提供了一个获取知识、休闲心灵的放松空间，也给读者营造出一种家的感觉。"把读书变成一种生活"——第三极书局正在用全新的创意和细致到位的关怀经营着这样一个看起来十分超现实的理想。爱书的朋友，有时间不妨去逛一逛。

北京逛街地图
WALKING IN BEIJING

地址：
海淀区北四环西路66号

推荐等级：
★★★★

交通便利程度：
★★★★

乘车路线：
乘332支、302、16支944支至地震局站下车，或乘47、735、751、718、982、983、740、840、835至海淀站下

Maliandao Tea Street

Stop11 马连道茶叶一条街

推荐等级：
★★★★

交通便利程度：
★★★★

乘车路线：
乘6、38、122、822、715、719、721、609路公共汽车至湾子站下

马连道茶叶一条街，位于宣武区西部。这里是华北地区最大的茶叶集散地，来自五湖四海的游客纷纷聚集到这条享有"中国特色商业街"——京城茶叶第一街，购茶、品茶，同时也感受这里的茶文化。

走进马连道茶叶一条街，最扎眼的莫过于这里鳞次栉比的茶叶店和茶城打出的"金字招牌"，茶圣陆羽的铜铸肖像和《茶经》竖立在道口，既是茶叶一条街的标志，也凸显出茶文化的根基和灵魂。许多人提起马连道，第一感觉就是茶叶种类多。一家挨一家的茶铺将店里的好茶用最显眼的字样标出，竹叶青、大红袍、铁观音、普洱茶……价格从每斤三四元到几十万元不等。但这并不是最后的价钱，顾客购茶前，可以在茶铺里的茶座上先品茶，一边品茶一边侃价，双方满意即可成交。

作为华北最大的茶叶集散地，马连道吸引的不仅仅是京城爱喝茶的人们，全国各地有许多茶友也都喜欢来此品茶、买茶。

五道口 Stop12
Wudaokou Area

　　五道口地处北京高校云集的学院路，在北大清华等各大高校的包围中，这里成为了供莘莘学子休闲娱乐的一块"大操场"。有人说，五道口是个鱼龙混杂的地方，在这里有省吃俭用、行走于旧书摊的学生、有背着吉他穿梭于各酒吧的摇滚歌手；也有沉醉在书吧、咖啡吧中的小资年轻人……这里聚集着太多不同文化背景的人们。院校周围独具特色的外贸服饰小店更让五道口呈现出别样的风情，因此五道口堪称北京的一大潮流时尚聚集地。

　　当夜色渐浓，从城铁五道口站一直往东走，五道口路两侧特色店的霓虹灯，渐渐亮起来，特色店里的样样商品透过玻璃橱窗吸引着过往的人们，这条并不宽的长街，也便在夜风中透映出浓浓淡淡的时尚风情。五道口电影院的对面，也就是路的南面，大概有十几家专卖服装的小店。这里的衣服款式大多比较大众，价格也比较便宜，吸引了不少学生光顾。从五道口电影院同侧向北拐弯就到了五道口的特色区。这里出售各种鞋子，从休闲风格的到流行风格的，再到传统的或正装鞋，都很齐全。衣服款式以日韩风格为主，夸张、个性、休闲又时尚。

北京
逛街地图
WALKING
IN BEIJING

推荐等级：
★★★★

交通便利程度：
★★★★

乘车路线：
　乘731、825、331、375、726、743路公共汽车至五道口站下

P光合作用书房
Photosynthesis
Book Store Stop13

北一京
逛街地图
WALKING
IN BEIJING

推荐等级：
★★★★

交通便利程度：
★★★★

乘车路线：
乘城铁或乘坐731、825、331、375、726、743路公共汽车至五道口站下

　　除了时尚前卫的服饰店，五道口的书店和咖啡吧也是不可错过的好去处。位于城铁十字路口西南角的"光和作用"算是五道口最出名的书店了，醒目的LOGO和橘黄色为主的店面装潢吸引了不少来客。

　　"光和作用"走的是文化学术艺术的路线，在拥有两层空间的书屋中，收全了与"语言、行走、交流"相关的所有图书。常来这里的人会把这儿当作自己的第二书房，喝一杯浓香咖啡，在轻松的音乐背景下，随手翻看着刚买的书，即使什么事情都不想，也会有种莫名的感动。"光合作用"还创造并很好地倡导了"悦读"这个书店理念。在这里，"悦读"就是让读书的整个过程不受干扰。在这里，你能找到很多可移动的小木凳，它们分布在各个书架的角落里，在光线最好的窗边还有木制的长椅，一般情况下，这里都是座无虚席的。"悦读咖啡"也是光合作用的一块"悦读胜地"，品着咖啡，读着自己喜欢的书，感觉一定很棒。

　　在"光合作用"一些像通道的地方都摆放了书架，并用射灯照亮书脊，以便读者翻查，这种空间设置真像是家里的某个角落，特别是那橘黄色的灯光，你一定不会陌生，所以光合作用也有"家庭书房"的美称。

万圣书园
All Sages
Book Store

Stop14

北京逛街地图
WALKING
IN BEIJING

地址：

海淀区蓝旗营清华.北大
教师楼5号

推荐等级：

★★★★

交通便利程度：

★★★★

乘车路线：

乘731、717、722、743、
801、811路公共汽车至蓝旗营
站下车

万圣书园创办于1993年，是北京民营学术书店和
学人办店的先驱，被誉为北大清华学子的精神港湾。
现在的万圣书园由原来专营人义、社科、古籍、辞书
等学术思想类图书，扩展至艺术、文学、音像，以及
精品工商管理等类图书。虽然书的品种增多了，但是
这里的品位仍然没变。有了更加宽敞的店堂，那些多
年来一直到万圣买书的忠实读者也终于可以在僻静的
角落席地而坐了。

现在万圣书园一楼设置了特价书和外版书，其中
有不少法文图书。更多的书主要在二楼出售，这里有
定期更换的主题阅读，有尚未分类的新进图书，更多
的是按图书种类分归妥帖的各类图书。二楼还开设了
"醒客咖啡"，看书看累了，可以在那里歇歇脚，边品
咖啡边看书。

《北京逛街地图》编辑部

策划：考拉文化
执行主编：苏逸天　韩　静
编辑部成员：

曹　华	王　玥	张丽媛	梁乐颂
谢守群	张　冰	潘　端	马　丹
韩常成	朱国樑	赵　婧	李晓枫
张　琳	王文通	王　嘉	刘巧坤
吴　为	王菊玲	李一天	赵　馨
王作武	赵海菊	左　兰	陈　鑫
曹　军	宋　青	张家林	李晓月
刘　洋	杜　渐	易博睿	王　巍
付　佳	璇　子	何文武	邵　明
刘晓馨	张　岚	余崇彬	任雅荣
于小慧	谢　倩	徐占茜	张　璐
谢守蓉	金　晔	李君清	王金玲
王　雁	成一村	司小静	郭全影
邱崇福	付　捷	杨　真	王伟东

北一京
逛街地图
WALKING
IN BEIJING

图书在版编目(CIP)数据

北京逛街地图／《北京逛街地图》编辑部编著. —桂林：
广西师范大学出版社，2007.2
　　（生活地图）
　　ISBN 978-7-5633-6424-4

　　Ⅰ.北… 　Ⅱ.北… 　Ⅲ.旅游指南－北京市
Ⅳ.K928.91

中国版本图书馆 CIP 数据核字（2006）第160999号

广西师范大学出版社出版发行
（桂林市中华路22号　邮政编码：541001
网址：www.bbtpress.com）
出版人：肖启明
全国新华书店经销
发行热线：010-64284815
北京燕泰美术制版印刷有限责任公司
（北京南苑西营房甲5号　邮政编码：100076）
开本：635×965　1/16
印张：16.5　字数：150千字
2007年2月第1版 2007年2月第1次印刷
印数：0 001～8 000册　定价：38.00元

如发现印装质量问题，影响阅读，请与印刷厂联系调换。

北 京 逛 街 地 图
WALKING IN BEIJING

北 京 逛 街 地 图
WALKING IN BEIJING